O PEQUENO LIVRO DOS
MAGOS DO MERCADO FINANCEIRO

O PEQUENO LIVRO DOS
MAGOS DO MERCADO FINANCEIRO

PRINCÍPIOS E LIÇÕES DOS MAIORES
TRADERS DE TODOS OS TEMPOS

Jack D. Schwager

SEXTANTE

Título original: *The Little Book of Market Wizards*
Copyright © 2014 por Jack D. Schwager
Copyright da tradução © 2022 por GMT Editores Ltda.

Todos os direitos reservados. Nenhuma parte deste livro pode ser utilizada ou reproduzida sob quaisquer meios existentes sem autorização por escrito dos editores.

tradução: André Fontenelle
preparo de originais: Ana Claudia Ferrari
revisão técnica: Lucinda Pinto
revisão: Ana Grillo e Juliana Caldas
diagramação: Valéria Teixeira
capa: DuatDesign
impressão e acabamento: Associação Religiosa Imprensa da Fé

CIP-BRASIL. CATALOGAÇÃO NA PUBLICAÇÃO
SINDICATO NACIONAL DOS EDITORES DE LIVROS, RJ

S425p
    Schwager, Jack D., 1948-
      O pequeno livro dos magos do mercado financeiro / Jack D. Schwager ; tradução André Fontenelle. - 1. ed. - Rio de Janeiro : Sextante, 2022.
      176 p. ; 21 cm.

    Tradução de: The little book of market wizards
    ISBN 978-65-5564-309-1

      1. Investimentos. 2. Bolsa de valores. 3. Investimentos - Análise.
I. Fontenelle, André. II. Título.

22-75725   CDD: 332.6
                                                     CDU: 330.322

Meri Gleice Rodrigues de Souza - Bibliotecária - CRB-7/6439

Todos os direitos reservados, no Brasil, por
GMT Editores Ltda.
Rua Voluntários da Pátria, 45 – Gr. 1.404 – Botafogo
22270-000 – Rio de Janeiro – RJ
Tel.: (21) 2538-4100 – Fax: (21) 2286-9244
E-mail: atendimento@sextante.com.br
www.sextante.com.br

Para Jo Ann
A pessoa mais importante da minha vida
Com amor

SUMÁRIO

APRESENTAÇÃO	por Peter L. Brandt	9
PREFÁCIO		13
CAPÍTULO 1	Não dá para prever o sucesso	15
CAPÍTULO 2	O que não é importante	21
CAPÍTULO 3	Como ser um trader com personalidade própria	27
CAPÍTULO 4	A necessidade de um diferencial	35
CAPÍTULO 5	A importância do trabalho pesado	39
CAPÍTULO 6	O trading ideal vem sem esforço	45
CAPÍTULO 7	As horas boas e as horas ruins	49
CAPÍTULO 8	Gestão de riscos	53
CAPÍTULO 9	Disciplina	67
CAPÍTULO 10	Independência	73
CAPÍTULO 11	Confiança	77
CAPÍTULO 12	Perder faz parte do jogo	81

CAPÍTULO 13	Paciência	85
CAPÍTULO 14	Nada de lealdade	93
CAPÍTULO 15	Tamanho é documento	101
CAPÍTULO 16	Como fazer aquilo que é incômodo	111
CAPÍTULO 17	As emoções e o trading	119
CAPÍTULO 18	Trading dinâmico *versus* trading estático	127
CAPÍTULO 19	As reações do mercado	135
CAPÍTULO 20	O valor de um erro	145
CAPÍTULO 21	A ideia *versus* a implementação	149
CAPÍTULO 22	Quando o mercado livra a sua cara	153
CAPÍTULO 23	O amor pela missão	159
APÊNDICE	Opções – Um guia básico	163
NOTAS		169
SOBRE O AUTOR		173

APRESENTAÇÃO

Nenhum autor, vivo ou morto, criou um acervo tão rico sobre a profissão de trader quanto Jack Schwager. Toda uma geração desses profissionais deve pelo menos uma parte de seu sucesso a Jack e à série que escreveu, *Os magos do mercado financeiro*. Não tenho a menor dúvida de que esses livros permanecerão tão atuais daqui a 80 anos quanto o clássico *Reminiscências de um especulador financeiro*, escrito por Edwin Lefèvre em 1923.

Que ator do mercado financeiro iniciante e ambicioso não gostaria de passar algum tempo absorvendo a sabedoria de 59 dos mais bem-sucedidos e realizados traders do mercado mundial? É exatamente isso que a série *Os magos do mercado financeiro* proporciona, apresentando-nos todas as ideias, processos operacionais de mercado, princípios de gestão de riscos e lições fundamentais desse Hall da Fama de especuladores da bolsa, das taxas de juros, do comércio exterior e do mercado futuro.

Por viver desde 1981 dos ganhos que obtenho no mercado, nunca fui entusiasta dos manuais financeiros de "como fazer", que sempre trazem um passo a passo detalhado dos "ingredientes secretos" deste ou daquele investidor. Acredito firmemente que todos os traders que alcançam lucros constantes têm duas características em comum: um método de abordar o mercado que reflete a própria personalidade e uma gestão de riscos agressiva. Toda vez que leio os livros dos "magos do mercado", esses dois componentes de todo investimento lucrativo se destacam de um jeito novo, me empurrando a uma reflexão sobre meu próprio método de fazer trading – no passado, no presente e no futuro.

Este livro que você tem em mãos revigora a série. De certa forma, é uma versão condensada – uma síntese de todas as entrevistas anteriores. Visto de outra maneira, porém, é uma obra que abre perspectivas inteiramente novas, algo que somente o próprio Jack Schwager conseguiria extrair de suas extensas conversas com os papas do mercado.

O pequeno livro dos magos do mercado financeiro é uma releitura temática das dezenas de entrevistas feitas por Jack ao longo de seus livros em que sintetiza todo o conteúdo da série *Os magos do mercado financeiro* em categorias essenciais para o sucesso do investidor.

Além da gestão agressiva de riscos e da necessidade de um método de trading personalizado e único, *O pequeno livro dos magos do mercado financeiro* identifica vários outros denominadores comuns compartilhados pelos investidores bem-sucedidos, com exemplos extremamente úteis de cada um deles, extraídos da vida real. São temas que vão da paciência à necessidade de um diferencial; do trabalho árduo à disciplina; da aceitação da derrota à forma de lidar com as emoções; dos erros cometidos à postura para superar fases ruins.

A maior parte dos traders iniciantes e ambiciosos acredita, ingenuamente, que o segredo de um trabalho lucrativo consiste em identificar os sinais de que é hora de investir. Os operadores mais malandros – a maioria deles investidores fracassados – ajudam a alimentar essa ideia equivocada, propondo esquemas com taxas de sucesso de 70% a 80%.

Todos os atores do mercado – neófitos ou veteranos, passando por dificuldades ou com um amplo histórico de lucros, sistemáticos ou desregrados, especuladores individuais ou gestores de hedge funds – logo colocarão este livro em suas listas de favoritos sobre trading e mercado.

Obrigado, Jack, por mais esta enorme dádiva a quem atua no mercado.

PETER L. BRANDT, TRADER

PREFÁCIO

Ao longo dos últimos 25 anos, entrevistei alguns dos melhores traders do mundo para descobrir por que são tão bem-sucedidos. Esse projeto foi contado nos livros da série *Os magos do mercado financeiro*. Eu tentava responder às seguintes perguntas: O que diferencia esses traders dos demais atores do mercado? Quais características em comum poderiam explicar seu êxito extraordinário?

O pequeno livro dos magos do mercado financeiro destila as respostas a essas perguntas e oferece uma visão geral de algumas das principais ideias presentes na série que lhe deu origem. A intenção não é substituir os livros da série, e sim servir como uma introdução concisa, trazendo as lições que considerei mais importantes nas entrevistas. Cada leitor, porém, provavelmente escolherá seus próprios destaques. Isso foi ficando evidente para mim com o passar dos anos, à medida que diferentes leitores citavam entrevistas distintas como suas preferidas. Aqueles que desejarem se aprofundar sempre poderão, é claro, recorrer às entrevistas originais nos livros da série.

O leitor que se interessa por trading e investimentos e não tiver lido os livros da série perceberá que este concentra conselhos preciosos de mercado em um formato acessível. Mesmo aqueles que já leram descobrirão que esta obra é útil como uma revisão prática e sucinta.

Este livro não pretende ser um manual de instruções do trading, tampouco um guia de técnicas de atuação no mercado. Não traz sugestões ou recomendações de como enriquecer no mercado. No entanto, existem conceitos fundamentais para o êxito no trading, independentemente da metodologia. O leitor que procura a fórmula secreta para ganhar dinheiro fácil no mercado não encontrará aqui a resposta, e é provável que fique desapontado – embora eu suspeite que também se decepcionaria com quaisquer livros que prometessem esse tipo de resultado. Já aquele que, ao invés disso, estiver em busca de uma base para o sucesso em potencial no mercado vai considerar as ideias contidas em *O pequeno livro dos magos do mercado financeiro* não apenas valiosas, mas essenciais.

Embora este livro trate, explicitamente, de ser bem-sucedido no trading, creio que ele aborda o sucesso de modo geral. Você perceberá que a maioria das características aqui destacadas podem abrir caminho para bons resultados em qualquer projeto. Lembro-me de que, muitos anos atrás, depois de terminar uma palestra sobre o tema do sucesso no trading, fui procurado por um dos espectadores. Ele se apresentou e disse: "Sou pastor e fiquei encantado por ver como muitos dos argumentos que você apresentou também foram fundamentais para que eu conseguisse criar uma igreja." Embora poucas coisas sejam tão distantes do trading quanto o trabalho religioso, aparentemente os mesmos elementos-chave se aplicam. Desconfio que o sucesso seja regido por alguns princípios universais. O que fiz foi simplesmente apresentá-los sob o ponto de vista dos maiores traders.

CAPÍTULO 1

Não dá para prever o sucesso

A HISTÓRIA DE BOB GIBSON

Em 15 de abril de 1959, Bob Gibson disputou sua primeira partida nas grandes ligas de beisebol, entrando como arremessador reserva dos Saint-Louis Cardinals, que perdia para os Los Angeles Dodgers por 3 a 0. Gibson cedeu um *home run* (a rebatida que ultrapassa o limite do campo e pode valer até quatro pontos) para o primeiríssimo rebatedor que enfrentou — humilhação que, em toda a história do esporte, apenas 65 arremessadores sofreram.[1] Na entrada seguinte, Gibson cedeu outro *home run*. Teve a chance de se redimir na noite seguinte, novamente jogando como substituto, mas levou outra sova dos Dodgers. Dois dias depois, entrou no jogo contra os Giants e logo cedeu uma rebatida dupla – nova humilhação. Depois desse jogo, Gibson passou uma semana esquentando o banco, e em seguida foi cedido para as ligas menores. É difícil imaginar uma estreia mais desmoralizante.

Apesar desse começo pífio, Bob Gibson acabaria se tornando um dos maiores arremessadores da história do beisebol. É considerado unanimemente um dos vinte melhores de todos os tempos. Disputou 17 temporadas nas grandes ligas, vencendo 251 partidas. Ganhou ainda dois prêmios Cy Young (de melhor arremessador da temporada), foi eleito duas vezes o melhor jogador da Série Mundial (a decisão da liga americana), escolhido nove vezes para o time All-Star e alçado ao Hall da Fama do beisebol no primeiro ano em que foi elegível.

QUANDO VOCÊ COMEÇA FRACASSANDO

Uma das surpresas que descobri ao produzir as edições de *Os magos do mercado financeiro* foi o grande número de traders incrivelmente bem-sucedidos que fracassaram de início. Não raro eram relatos de "limpas" totais, ou até de mais de uma limpa. Um exemplo clássico é Michael Marcus.

Desde o penúltimo ano do ensino médio, Marcus se interessou pelo mercado de futuros. Foi nessa época que conheceu John, amigo de um amigo, que lhe acenou com a perspectiva de duplicar seu patrimônio em 15 dias negociando commodities. Marcus se deixou convencer, contratou John como consultor financeiro por 30 dólares semanais e abriu uma carteira de investimentos com o dinheirinho que tinha poupado.

Ao visitar a corretora e observar o vaivém dos preços no painel gigante de commodities na parede (eram os anos 1960), Marcus se deu conta rapidamente de que seu "consultor", John, não entendia coisa alguma do mercado. Marcus perdeu dinheiro em todo negócio que fez. Foi aí que John teve uma ideia "salvadora": comprar um contrato de barriga de porco a preços de agosto e vendê-lo a preços de fevereiro do ano seguinte, porque o spread entre os dois contratos era superior às taxas de carregamento (o custo total de remessa do primeiro contrato, da estocagem do produto e da entrega no segundo contrato). Parecia uma operação à prova de prejuízo. Depois de fechar o negócio, Marcus e John foram almoçar. Quando voltaram, Marcus descobriu, para seu horror, que sua carteira praticamente tinha virado pó (só tempos depois ele ficaria sabendo que a barriga de porco de agosto não podia ser liquidada no contrato de fevereiro). Marcus disse a John que nenhum dos dois entendia do assunto e finalmente demitiu seu consultor.

Marcus deu um jeito de juntar outros 500 dólares, que também acabou perdendo. Como se recusava a desistir, resolveu usar 3 mil dólares que restavam do seguro de vida deixado pelo pai, falecido quando ele tinha 15 anos. Começou a se informar sobre grãos e a ganhar um pouco de dinheiro nesse mercado. Em 1970, comprou trigo, com base na recomendação de uma publicação especializada da qual era assinante. Por pura sorte, 1970 foi o ano da praga do milho. Ao final daquele verão, os 3 mil dólares de Marcus tinham virado 30 mil.

Naquele outono, Marcus começou a faculdade, mas o trading tomava tanto de seu tempo que ele largou o curso. Mudou-se para Nova York e, quando lhe perguntavam sua profissão, ele dizia, com um certo ar pomposo, que era "especulador".

Na primavera de 1971, surgiu uma teoria de que a praga do milho teria sobrevivido ao inverno e voltaria a infectar a safra. Marcus acreditou e resolveu lucrar com a história. Pediu à mãe 20 mil dólares emprestados para engordar seu saldo de 30 mil. Usou integralmente esses 50 mil dólares para comprar o máximo de contratos de milho e trigo em margem. Durante algum tempo, por causa dos temores de uma nova praga, o mercado se manteve estável, mas não subiu. Até que, certa manhã, a manchete dos jornais de economia foi esta: "Há mais praga no pregão da Bolsa de Chicago que nos milharais do Meio-Oeste." O mercado de milho abriu em forte baixa e caiu rapidamente, atingindo o limite mínimo de oscilação de preço.[2] Marcus ficou paralisado, na esperança de que o mercado se recuperasse, mas ele continuou travado. Como sua posição se sustentava fortemente na conta margem, ele não teve escolha senão liquidar tudo na manhã seguinte. Quando pulou fora, tinha perdido seus 30 mil dólares, além de 12 mil do total que a mãe tinha lhe emprestado.

> Eu olhava para o céu e dizia: "Sou tão burro assim?"
> E tive a impressão de ouvir uma voz
> responder claramente: "Não, você não é burro.
> Só precisa persistir." E foi o que fiz.
>
> MICHAEL MARCUS

Perguntei se, diante de todos esses fiascos, ele chegou a pensar em desistir. Marcus respondeu: "Às vezes eu chegava a pensar que era melhor parar, porque perder o tempo todo era muito sofrido. No musical *Um violinista no telhado*, tem uma cena em que o protagonista conversa com Deus. Eu olhava para o céu e dizia: 'Sou tão burro assim?' E tive a impressão de ouvir uma voz responder claramente: 'Não, você não é burro. Só precisa persistir.' E foi o que fiz."

E fez mesmo, até que um dia deu tudo certo. Marcus tinha um talento inato de negociante. Quando conseguiu combinar essa habilidade pessoal com a experiência e a gestão de riscos, teve um êxito impressionante. Conquistou uma vaga de trader na Commodities Corporation. De início, a empresa financiou sua carteira com 30 mil dólares, acrescentando outros 100 mil vários anos depois. Em cerca de dez anos, Marcus transformou esse modesto fundo em 80 milhões de dólares! E isso apesar de, durante muitos anos, a empresa ter embolsado até 30% de seu lucro para cobrir as despesas cada vez maiores.

A PERSISTÊNCIA DE "UM-LOTE-SÓ"

Embora vários magos do mercado tenham fracassado em algum grau no começo, talvez nenhum tenha chegado tão fundo no poço quanto Tony Saliba. No início da carreira, quando era um negociador do pregão, um trader lhe entregou 50 mil dólares. Saliba ficou comprado em contratos de volatilidade (posições de opções que ganham quando aumenta a volatilidade do mercado). Nas duas primeiras semanas, Saliba levou a carteira a 75 mil dólares. Achou-se um gênio. Só não percebeu que estava comprando essas opções com um prêmio muito alto, inflado por um período de mercado altamente volátil. Foi aí que o mercado desandou e a volatilidade e os prêmios das opções entraram em colapso. Em seis semanas, a carteira de Saliba estava reduzida a apenas 15 mil.

Relembrando esse episódio, Saliba disse: "Tive pensamentos suicidas. Lembra-se daquele grande acidente com um DC-10, no aeroporto O'Hare, em maio de 1979, que matou todo mundo? Foi na mesma época que eu cheguei ao fundo do poço."

"Era uma metáfora do seu estado de espírito?", perguntei.

"Sim", respondeu Saliba. "Naquele dia, eu teria trocado de lugar com os passageiros do avião. Era assim que eu estava me sentindo. Pensava: 'É isso: arruinei minha vida.' [...] Eu me sentia uma fraude."

Apesar desse início lamentável, Saliba tinha uma qualidade importante: a persistência. Verdade que quase abandonou o mundo das finanças, mas no fim das contas decidiu continuar tentando. Buscou conselhos de corretores mais experientes, que lhe ensinaram a importância da disciplina, de fazer a lição de casa e de ter como meta uma lucratividade moderada, mas constante, em vez de tentar enriquecer depressa. Saliba levou a sério essas lições e trocou a negociação de opções da Teledyne, extremamente volátil, por opções da Boeing, um mercado mais restrito. Quando voltou a negociar Teledyne, seu padrão de compras era tão conservador que ele foi ridicularizado pelos demais corretores e apelidado de "Um-Lote-Só". Mais uma vez Saliba persistiu, ignorando as piadas sem se afastar um milímetro de sua abordagem cautelosa. Por fim, a persistência e o cuidado no controle de riscos deram resultado. Em determinado momento, Saliba chegou a ostentar uma série ininterrupta de 70 meses com lucros acima de 100 mil dólares.

DUAS LIÇÕES ESSENCIAIS

Há duas lições fundamentais a extrair deste capítulo.

Em primeiro lugar, não se pode fazer previsões a partir de um fracasso. Até mesmo os melhores traders se deparam com a derrota – e, às vezes, seguidas – no início de suas carreiras. Fracassar no começo é a regra. Um comentário, ainda: como a maioria das pessoas que se arrisca no trading fracassa de início, todo negociante novato deve começar com pequenas quantias. Assim pagará um preço menor por sua educação no mercado.

Em segundo lugar, a persistência é decisiva para o sucesso. Diante de insucessos como os que vimos, a maioria teria desistido e partido para outra área. Para os traders deste capítulo, teria sido fácil fazer o mesmo. Não fosse pela persistência indestrutível, muitos magos do mercado nunca teriam descoberto seu imenso potencial.

CAPÍTULO 2

O que não é importante

Antes de pensar naquilo que é importante para ter sucesso no mercado, vamos começar pelo que *não* é importante, pois o que muitos traders iniciantes acreditam ser essencial para o êxito não passa de distração. Muitos candidatos a traders creem que o sucesso e só uma questão de descobrir uma fórmula ou sistema secreto que explique e permita prever as mudanças de preços, e que se conseguirem um dia encontrar essa fórmula o sucesso estará garantido. A ideia de que o êxito no mercado está associado à descoberta de algum método específico e ideal é equivocada. Não existe uma metodologia única e correta.

Esse argumento pode ser ilustrado comparando-se as filosofias e os métodos de trading de dois magos que entrevistei: Jim Rogers e Marty Schwartz.

JIM ROGERS

Embora insista em ser chamado apenas de "investidor", por causa da natureza de longo prazo de suas posições de mercado, Jim Rogers é um trader de sucesso fenomenal. Em 1973, associou-se a George Soros para criar o Quantum, um dos hedge funds mais bem-sucedidos de todos os tempos. Rogers deixou o Quantum em 1980, porque o êxito da empreitada levou à sua expansão, o que trouxe responsabilidades gerenciais indesejáveis. Ele queria se concentrar em pesquisa e investimento no mercado. Por isso, "aposentou-se" para gerir o próprio dinheiro.

Acima de tudo, Jim Rogers tem tino para enxergar situações de maneira ampla, antecipando tendências maiores de longo prazo. Quando eu o entrevistei, em 1988, o ouro vinha de um declínio de oito anos, mas Rogers parecia certo de que esse movimento de queda ainda duraria uma década.

"Toda guerra, para um general, é a última", disse ele. "Para um gerente de portfólio, toda baixa do mercado é a última. A ideia de que o ouro é e sempre será uma ótima forma de preservar valor é absurda. Houve vários momentos históricos em que o ouro perdeu poder de compra – em alguns casos, durante décadas."

Rogers estava absolutamente certo, e o ouro seguiu em queda por mais 11 anos. Outro mercado sobre o qual ele tinha uma opinião particularmente incisiva era a bolsa de valores de Tóquio. Na época, as ações japonesas inseriam-se num mercado de forte alta. Mesmo assim, Rogers estava convencido de que haveria grande oscilação no sentido oposto.

"Posso assegurar que a bolsa de valores japonesa vai sofrer um colapso de grandes proporções – talvez dentro de um ou dois anos (...) [As ações japonesas] vão cair 80% a 90%."

Essa previsão parecia absurda. No entanto, mostrou-se totalmente correta: pouco mais de um ano depois de nossa conversa, a bolsa japonesa atingiu o pico, iniciando uma queda que faria o índice Nikkei perder cerca de 80% de seu valor ao longo dos 14 anos seguintes.

Claramente, a opinião de Jim Rogers merece atenção. Sendo um analista dos fundamentos, perguntei a ele o que achava da análise de gráficos. Sua resposta deixou pouca dúvida quanto ao desprezo que nutria pela análise técnica.

"Não conheço nenhum técnico rico", disse Rogers, "a não ser, é claro, os técnicos que apregoam seus serviços técnicos e ganham muito dinheiro."

Perguntei, então, se ele utilizava gráficos.

"Sim", respondeu, "para ver o que anda acontecendo (...) Não fico dizendo – qual foi o termo que você usou antes, *reversão?* – 'Tem uma reversão aqui.' Não sei nem o que é uma reversão."

Quando fiz menção de explicar o termo, ele me interrompeu.

"Não precisa me dizer. Só vai confundir minha cabeça. Não sei nada dessas coisas, nem quero saber."

Duvido que seja possível ser mais cínico em relação a uma metodologia de trading específica que Jim Rogers e sua atitude em relação à análise técnica.

MARTY SCHWARTZ

Vejamos agora o caso de outro trader incrivelmente bem-sucedido, Marty Schwartz, que se encontra no extremo oposto do espectro em termos de abordagem analítica. Quando entrevistei Schwartz, ele tinha transformado uma carteira de 40 mil dólares em mais de 20 milhões de dólares, sem nunca ter sofrido uma perda superior a 3% (considerando os dados do fim de cada mês) ao longo do caminho. Schwartz fez questão de observar que seus dois piores meses – perdas de 3% e 2% – foram os meses em que seus filhos nasceram e foi impossível manter o foco. Durante esse período, ele participou de dez campeonatos abertos de trading. Nove foram competições de quatro meses, em que seu retorno médio, não anualizado, chegou a 210%! Na única competição de ano inteiro que disputou, obteve retorno de 781%.

Fica evidente que Schwartz é outro trader cuja opinião tem que ser levada muito a sério. O que teria a dizer sobre o tema da eficácia da análise fundamentalista comparada à análise técnica? Durante mais de uma década ele foi analista de *securities*, antes de se tornar trader em tempo integral, fazendo uso da análise técnica. Ironicamente, quando perguntei a Schwartz se ele havia feito uma transição total da análise fundamentalista para a análise técnica, sua resposta pareceu uma réplica direta ao comentário de Rogers sobre a análise técnica – sendo que eu nem mencionei esse comentário a ele.

Schwartz respondeu: "Totalmente. Sempre dou risada quando alguém diz: 'Nunca encontrei um técnico que ficou rico.' Adoro! É uma resposta tão arrogante e sem sentido. Usei os fundamentos durante nove anos, e foi como técnico que fiquei rico."

Dificilmente encontraremos dois pontos de vista mais divergentes e mais firmes em relação ao que funciona e ao que não funciona no trade. Rogers baseou suas decisões de trading unicamente na análise de fundamentos. Considera que a análise técnica está no mesmo patamar do charlatanismo. Enquanto isso, Schwartz perdeu dinheiro sistematicamente quando usou a análise de fundamentos, mas atingiu um desempenho inacreditável empregando a análise técnica. Ambos tiveram um êxito espetacular, e ambos enxergam o método do outro com absoluto desdém, e até cinismo.

COMO CONCILIAR ESSAS VISÕES DIVERGENTES

O que essa dicotomia entre Rogers e Schwartz nos ensina? Ela nos mostra que não há um único caminho da verdade no mercado. Não existe um segredo singular de mercado a ser descoberto, ou um único jeito correto de realizar o trade. Aqueles que buscam uma resposta única para o mercado não estão sequer fazendo a pergunta correta, muito menos obtendo a resposta certa.

> Não existe um segredo singular de mercado a ser descoberto, ou um único jeito correto de realizar o trade. Aqueles que buscam uma resposta única para o mercado não estão sequer fazendo a pergunta correta, muito menos obtendo a resposta certa.

Há um milhão de jeitos diferentes de ganhar dinheiro no mercado. Infelizmente, todos são muito difíceis de encontrar. Mas existem também várias formas de obter sucesso. Alguns traders, como Rogers, se dão bem usando a análise de fundamentos. Outros, como Schwartz, têm êxito recorrendo apenas à análise técnica. E há outros, ainda, que utilizam uma combinação dos dois. Alguns traders chegam lá retendo posições durante meses, ou até anos, enquanto outros obtêm sucesso em uma escala de tempo medida em minutos. O sucesso no mercado é uma questão de encontrar a metodologia *certa para você* – e ela será diferente para cada um –, e não uma questão de encontrar *uma* metodologia *verdadeira*.

CAPÍTULO 3

Como ser um trader com personalidade própria

No capítulo anterior, chegamos à conclusão de que não existe uma trajetória única que levará ao sucesso como trader. É uma conclusão que aponta para um elemento essencial do êxito nessa área. Se você extrair deste livro um único princípio norteador, será este, de grande valia:

Os traders bem-sucedidos encontram uma metodologia que combina com sua personalidade.

Portanto, como não existe um caminho único e correto para exercer o trade, para atingir o sucesso é necessário encontrar aquele que é correto para você – uma metodologia que se adapte à sua personalidade. É o único elemento que todos os traders de sucesso que entrevistei tinham em comum: eles criaram um estilo de trading coerente com suas crenças e sua personalidade. É uma observação tão lógica que chega a parecer óbvia. Você deve estar pensando: "Mas os traders já não atuam, todos, de acordo com a própria personalidade?"

Bem, na verdade, não. Schwartz passou quase uma década tentando adaptar a análise de fundamentos a seu trade no mercado, mas esse método tinha pouca sintonia com sua personalidade. Isso o levou a atrelar o próprio ego a opiniões de mercado bastante divergentes. Ao se lembrar desse período inicial, Schwartz disse: "Embora meu salário tenha sempre sido bom, eu estava quase falido, porque perdia dinheiro o tempo todo no mercado." Foi só quando mergulhou na análise técnica que teve sucesso.

A análise técnica propiciou a Schwartz uma metodologia que lhe permitia pular fora de um negócio rapidamente ao constatar ter errado. Quando saía de um trade perdedor, sempre encontrava vários outros diante de si. "Ao pôr em prática a filosofia de que o negócio ganhador está sempre por vir, aceitar um prejuízo deixou de doer tanto. E daí se eu cometer um erro?", explicou. Ele havia encontrado uma metodologia que combinava muito mais com ele. Não se está afirmando que a análise técnica é melhor que a análise de fundamentos, e sim que a análise técnica foi melhor como metodologia para Schwartz. Para outros traders, como Jim Rogers, o inverso é que é verdadeiro.

É espantoso o número de pessoas que desperdiçam tempo e dinheiro tentando adequar a própria personalidade a um método de trading inadequado para elas. Há traders com habilidades inatas para criar sistemas informatizados que funcionam bem nos mercados, mas um dia sentem uma compulsão para intervir, realizando operações fora de seus padrões – e acabam sabotando o próprio sistema que criaram. Há traders com um tino natural para detectar tendências de longo prazo do mercado, mas, entediados por conservar posições por muito tempo, acabam fazendo negociações de curto prazo que dão prejuízo. O tempo todo as pessoas se afastam da metodologia mais adequada à própria personalidade e ao próprio talento.

PAUL TUDOR JONES

Para ilustrar meu conceito de trading adequado à personalidade, farei uma comparação entre dois traders. O primeiro é Paul Tudor Jones, um dos maiores traders de futuros de nossa geração. Entrevistei-o uns seis meses depois do crash da bolsa de valores de outubro de 1987. Naquele mês, catastrófico para muita gente, Jones obteve um retorno inacreditável de 62%. Além disso, ele vinha de cinco anos consecutivos alcançando retornos próximos dos três dígitos. Digo "próximos" porque, em um desses anos, a valorização de seu fundo foi de apenas 99%.

Ele agendou a entrevista para o horário comercial. Isso me deixou um pouco preocupado, por saber que Jones era extremamente ativo. Como eu previa, quando fui levado à sua sala, ele estava dando ordens aos gritos por um microfone com conexão direta para a sala do pregão. Ainda não havia pregão eletrônico, e os futuros eram negociados na base da saliva.

Esperei para falar depois que ele terminasse sua operação. Expliquei que não queria interrompê-lo e dei a entender que poderíamos adiar a entrevista para depois do fechamento do mercado.

"Não tem problema", respondeu Jones. "Vamos nessa."

Enquanto respondia às minhas perguntas, Jones não tirava os olhos de enormes monitores espalhados pela sala. De vez em quando, gritava uma ordem para o pregão, em estilo particularmente frenético, mais ou menos como a versão trading de um tenista profissional devolvendo um voleio: "Compre 300 de petróleo, dezembro! Vai, vai, vai! Compramos? Fala comigo!" O tempo todo também atendia ligações e falava com membros de sua equipe que apareciam na sala com informações de mercado e perguntas.

GIL BLAKE

Não apague da mente a imagem de Paul Tudor Jones negociando em sua sala, enquanto analisamos um trader bem diferente, Gil Blake. Ironicamente, Blake se envolveu com o trading na tentativa de demonstrar a um colega que os mercados são aleatórios e que seria perda de tempo achar que poderia obter alguma vantagem graças às oscilações do mercado. Na época, Blake era o principal executivo de finanças de uma empresa. Certo dia, um colega mostrou a Blake uma pesquisa de sua autoria, sugerindo que valia a pena resgatar um fundo de títulos municipais quando este começasse a baixar e aplicar de novo quando começasse a subir. Veio pedir a opinião de Blake.

Blake se mostrou cético. "Não acho que os mercados funcionam assim", disse ao amigo. "Você já leu o livro *Um passeio aleatório por Wall Street*? O problema é que você não tem informação suficiente. Levante mais dados, e aposto que vai concluir que não dá para ganhar dinheiro com isso no longo prazo."

Quando Blake teve acesso aos dados adicionais, descobriu que seu ceticismo inicial era infundado. Havia evidências claras de uma persistência nada aleatória nos preços dos fundos. Além disso, quanto mais pesquisava, mais significativos ficavam os padrões não aleatórios que ele encontrava nos preços dos fundos. Blake ficou tão convencido da existência de padrões lucrativos nos preços que largou o emprego para se dedicar em tempo integral à análise de fundos. Como ele próprio conta sobre esse período inicial na carreira de trader, "praticamente passei a morar na biblioteca do bairro, extraindo do leitor de microfilmes anos e anos de dados a respeito de uns cem fundos mútuos". Blake encontrou padrões de alta lucratividade tão atraentes que hipotecou a própria casa mais de uma vez para aumentar sua participação como trader.

A constância do histórico de Blake foi incrível. Eu o entrevistei 12 anos depois de sua estreia. Sua média de retorno nesse período foi de 45%. No pior ano teve um ganho de 24%, com todos os meses no azul. Na verdade, em todo o período de doze anos ele só teve perdas em cinco meses. Chegou a cravar 65 meses consecutivos de lucro.

Apesar desse enorme êxito, Blake nunca teve vontade de abrir sua própria firma de gestão financeira, ou de ser mais que uma operação de um homem só. Fazia seu trading de dentro do próprio quarto de dormir. Recusou propostas para gerir o dinheiro alheio, à exceção do patrimônio de uns poucos amigos e parentes.

A COMPARAÇÃO ENTRE JONES E BLAKE

Agora vamos comparar Jones e Blake. Dá para imaginar Jones passando meses na biblioteca, esquadrinhando preços em microfilmes e fazendo uma transação por dia do próprio quarto? Ou dá para imaginar Blake operando no ambiente caótico onde Jones brilha? São duas imagens impactantes que simplesmente não combinam. Jones e Blake tiveram um êxito espetacular porque utilizaram metodologias adequadas às suas personalidades. Se tivessem optado por um método incompatível com o caráter natural de cada um (por exemplo, se intercambiassem metodologias), os resultados provavelmente teriam sido muito diferentes.

> Se eu tentar lhe ensinar o que faço, você vai fracassar, porque eu não sou você. Se você ficar do meu lado, observando o que faço, pode adotar alguns hábitos válidos. Mas vai querer fazer muita coisa de outro jeito.
>
> COLM O'SHEA

A lição fundamental é que o trader precisa encontrar uma metodologia que combine com suas próprias ideias e qualidades. Uma metodologia sensata, que dá muito certo para um trader, pode virar uma estratégia perdedora para outro. Colm O'Shea, um dos "macrogestores" globais que entrevistei, exprimiu essa ideia de maneira lúcida ao responder se seria possível ensinar a arte do trading: "Se eu tentar lhe ensinar o que faço, você vai fracassar, porque eu não sou você. Se você ficar do meu lado, observando o que faço, pode adotar alguns hábitos válidos. Mas vai querer fazer muita coisa de outro jeito. Um dos meus melhores amigos, que durante muitos anos ficava sentado ao meu lado, hoje em dia cuida de uma fortuna em outro hedge fund, e tem se saído muito bem. Mas ele não é igual a mim. Ele não aprendeu a ser como eu. Ele se tornou outra pessoa. Tornou-se ele mesmo."

A PERSONALIDADE E OS MÉTODOS DE TRADING

O conceito de que a adoção de uma metodologia que se encaixe com sua personalidade é crucial para o sucesso no trading também ajuda a explicar por que a maioria das pessoas tem prejuízo comprando sistemas de trading. Por que isso acontece? Será que é porque a maioria dos sistemas não funciona com dados diferentes dos que foram usados no seu desenvolvimento? Não estou insinuando isso. Na verdade, não faço ideia do percentual de sistemas de negociação disponíveis no mercado que proporcionam uma vantagem efetiva. Mesmo supondo que mais de 50% dos sistemas à venda seriam lucrativos se utilizados da forma recomendada, ainda assim minha expectativa é de que 90% dos compradores desses sistemas teriam prejuízo operando com eles.

Por quê? Porque todo sistema de trading, qualquer que seja a estratégia adotada, vai esbarrar em períodos de maus resultados. Pois bem, por definição, quando você compra um sistema, ele não tem nada a ver com sua personalidade ou suas crenças. Em muitos casos, senão a maioria, você sequer tem ideia de como o sistema chega àquelas indicações. Consequentemente, na primeira fase ruim você para de operar com ele. É por isso que a maioria das pessoas que compra sistemas prontos tem prejuízo: para de usá-lo quando ele passa por um mau momento, e com isso deixa de aproveitar quando o sistema se recupera.

CAPÍTULO 4

A necessidade de um diferencial

NÃO BASTA FAZER GESTÃO FINANCEIRA

Existe um ditado em Wall Street segundo o qual "com uma boa gestão financeira, até os sistemas de trading ruins podem dar lucro". Você já ouviu esse ditado? Pois bem, se ouviu, pode esquecê-lo, porque é uma das coisas mais idiotas que já se falou sobre o trading. Caso você acredite que uma boa gestão financeira pode salvar um sistema ou metodologia ruim, faço um convite: vá a um cassino e tente a roleta. Use seu melhor sistema de gestão financeira para apostar e veja se dá certo. Na verdade, se você fizer a centenas de matemáticos a pergunta: "Tenho mil dólares para apostar na roleta. Qual a estratégia ideal para multiplicar o dinheiro?", todos darão a mesma resposta: "Jogue tudo no vermelho ou no preto (ou no par ou no ímpar) por uma rodada. Depois, ganhando ou perdendo, saia. Essa é a estratégia de aposta que lhe dará a maior probabilidade de ganhar na roleta."[1]

Claro, sua probabilidade de ganhar ainda será menor que 50% – 47,37%, para ser preciso, se a roleta tiver dois zeros – mas seria a menor desvantagem para uma rodada só. Quanto mais vezes você jogar, maior a probabilidade de perder. E se você insistir pelo tempo suficiente, o prejuízo se tornará uma certeza matemática. Ou seja, caso você não disponha de uma vantagem (ou seja, se estiver em desvantagem), a estratégia ideal de gestão financeira é apostar tudo de uma vez – ou seja, o cúmulo da má gestão financeira. Se não dispuser de uma vantagem, a gestão financeira não irá salvá-lo. Ela só pode ajudar a minimizar perdas e preservar o capital se você tiver uma vantagem.

Portanto, não basta fazer gestão financeira.
Também é preciso dispor de um diferencial.
E dispor de um diferencial significa ter um método.

Portanto, não basta fazer gestão financeira. Também é preciso dispor de um diferencial. E dispor de um diferencial significa ter um método. Nenhum trader que eu tenha entrevistado para os livros da série *Os magos do mercado financeiro* e perguntado sobre como conseguiu o que conseguiu me deu uma resposta do tipo: "Eu olho para a tela, e se acho um título com a cara boa, compro." Nenhum deles encarava o trading com uma atitude aventureira, do tipo faroeste. Todos tinham uma metodologia específica. Alguns conseguiram descrevê-la em termos bastante detalhados, quase um passo a passo. Outros desenharam o próprio método em termos mais genéricos. Mas ficava evidente que todos tinham uma metodologia.

Qual é, então, exatamente a *sua* metodologia? Se você for incapaz de responder a essa pergunta, não está pronto para arriscar dinheiro no mercado. Caso tenha uma resposta, a pergunta seguinte é: "Seu método de trading lhe proporciona uma vantagem?" Se não tiver certeza da resposta, uma vez mais não está pronto para arriscar dinheiro no mercado. Os traders bem-sucedidos têm confiança na vantagem que sua metodologia lhes propicia.

NÃO BASTA TER UMA VANTAGEM

Da mesma forma que a gestão financeira não funciona sem uma vantagem, uma vantagem não é o bastante sem gestão financeira. Ambas são necessárias. Monroe Trout, dono de um dos melhores históricos de risco/retorno no longo prazo já registrados, resumiu essa ideia de maneira elegante. Quando perguntei-lhe quais as regras do trading que ele respeitava, respondeu: "Certifique-se de ter uma vantagem. Saiba qual é. Adote regras rígidas de controle de riscos (...) Para ganhar dinheiro, além de precisar de uma vantagem, você terá que fazer uma boa gestão financeira. Porém, a boa gestão financeira, por si só, não melhora a sua vantagem. Caso seu sistema seja ruim, terá prejuízo de todo jeito, por mais eficientes que sejam suas regras de gestão financeira. Mas se a sua abordagem for lucrativa, a gestão financeira pode representar a diferença entre sucesso e fracasso." Vamos analisar a parte de gestão financeira da equação no Capítulo 8.

CAPÍTULO 5

A importância do trabalho pesado

Entrevistei Marty Schwartz à noite, depois de uma longa jornada de trabalho. Ele estava imerso em sua análise diária do mercado, preparando-se para o dia seguinte. A entrevista se estendeu e acabou bem tarde. Embora visivelmente cansado, Schwartz não estava nem perto de dar o dia por encerrado. Em suas palavras: "Sempre busco estar mais bem preparado do que meus competidores. O jeito de me preparar é fazer minhas análises de mercado todas as noites."

Sempre busco estar mais bem preparado do que meus competidores. O jeito de me preparar é fazer minhas análises de mercado todas as noites.

Marty Schwartz

Fiquei impressionado ao constatar que muitos dos grandes traders que entrevistei eram viciados em trabalho. Embora eu possa citar vários exemplos, vamos examinar apenas dois para ter uma ideia dessa paixão que caracteriza os mais bem-sucedidos.

DAVID SHAW

David Shaw é o fundador da D.E. Shaw, uma das firmas de trading quantitativo de maior sucesso no planeta. Shaw reuniu dezenas dos mais brilhantes matemáticos, físicos e cientistas de informática dos Estados Unidos para desenvolver diversos modelos informatizados. Juntos, esses modelos obtiveram lucros constantes no mercado, tirando proveito de discrepâncias de valor entre diferentes ativos. Trata-se de uma estratégia de trading incrivelmente complexa, operando com milhares de instrumentos financeiros, entre os quais ações, garantias, opções e obrigações conversíveis em todos os grandes mercados do mundo. Administrar essa operação gigantesca de trading, dirigindo e supervisionando a todo instante o trabalho de uma equipe enorme de cientistas que lidam com números, pareceria excessivo para qualquer indivíduo. Aparentemente, não para David Shaw.

Ao longo dos anos, a firma de Shaw também incubou e gerou diversas outras, entre elas a Juno Online Services (que posteriormente fundiu-se com a United Online); uma empresa de tecnologia financeira vendida à Merrill Lynch; uma corretora online; e uma operação de *market-making*, entre outras. Além disso, Shaw se envolveu intensamente com a bioquímica computacional, mantendo-se a par das pesquisas em andamento e oferecendo capital de risco a várias empresas nessa área (por fim, acabou transferindo a gestão da D.E. Shaw a uma equipe de gerentes, a fim de se dedicar integralmente à pesquisa e desenvolvimento no campo da bioquímica computacional). Além de todos esses interesses, Shaw também fez parte do Comitê de Conselheiros em Ciência e Tecnologia de Bill Clinton e foi o secretário-geral do Painel sobre Tecnologia Educacional.

É até difícil imaginar como alguém consegue fazer tanta coisa. Perguntei a Shaw se ele tirava férias, e ele respondeu: "Não muito. Quando eu tiro, acabo precisando de algumas horinhas de trabalho diárias, só para não enlouquecer."

JOHN BENDER

John Bender foi um trader de opções brilhante, que geria dinheiro para o Quantum Fund, de George Soros, além de operar o próprio fundo. Quando o entrevistei, em 1999, seu fundo dava um retorno composto médio de 33% ao ano, com uma desvalorização que nunca passara de 6%. No ano seguinte (o último do fundo), registrou espantosos 269% de retorno depois que as posições de Bender em opções se anteciparam a uma alta importante da bolsa, o que se revelou imensamente lucrativo. Ele encerrou o fundo no ano 2000, quando sofreu um aneurisma cerebral, e passou a década seguinte adquirindo enormes terrenos de floresta tropical e criando uma reserva de vida selvagem na Costa Rica. Infelizmente, Bender sofria de transtorno bipolar e cometeu suicídio em 2010, durante uma crise depressiva.[1]

Na época em que Bender era trader, sua maior atividade talvez se concentrasse no mercado japonês de opções. Ele não dormia e seguia operando no mercado europeu de opções; em geral, ainda prolongava o dia acompanhando os números dos Estados Unidos. Não raro passava até 20 horas por dia operando. Cito esse exemplo não como uma recomendação de modo de vida, mas como ilustração da dedicação extrema a que chegam alguns dos magos do mercado.

O PARADOXO

Eis, porém, uma ironia. Por que tanta gente sente atração pelo trading? Porque parece um jeito fácil de ganhar dinheiro. Mas o fato é que os profissionais verdadeiramente bem-sucedidos no trading dão um duro tremendo. A dicotomia entre a percepção e a realidade, no que diz respeito ao trabalho e ao êxito no trading, leva ao seguinte paradoxo: vamos admitir que ninguém em sã consciência pensaria em entrar numa livraria, dirigir-se à seção de livros de medicina, encontrar uma obra intitulada *Técnicas de neurocirurgia*, estudá-la em um fim de semana e, na manhã de segunda-feira, entrar no centro cirúrgico de um hospital acreditando estar pronto para operar um cérebro. O termo essencial aqui é *sã* – ou seja, ninguém em sã consciência pensaria desse jeito.

Apesar disso, quanta gente você conhece que não veria nada de errado em entrar numa livraria, ir até a seção de livros de negócios, comprar uma obra chamada *Como ganhei 1 milhão na bolsa ano passado*, lê-la em um fim de semana e, na manhã de segunda-feira, achar que pode derrotar os profissionais do mercado na especialidade deles? A linha de raciocínio, nos dois exemplos, é bem semelhante. Porém, embora seja óbvio que o raciocínio em relação à neurocirurgia é inconcebível, muitos não veriam problema algum no processo mental da segunda situação. O que explica essa diferença?

Os profissionais verdadeiramente bem-sucedidos
no trading dão um duro tremendo.

Bem, trata-se de um paradoxo para o qual, creio eu, existe uma explicação satisfatória. O trading, provavelmente, é a única profissão em que um completo amador, alguém que não entende absolutamente nada, tem 50% de chance de começar acertando. Por quê? Porque no trading só existem duas coisas a fazer: comprar ou vender. Por uma questão probabilística, há uma proporção significativa de pessoas que acertarão mais de 50% das vezes – pelo menos no começo.

Façamos uma analogia. Se você pedir a mil pessoas que joguem uma moeda para o alto, cerca de 30% vão tirar "cara" 60% das vezes ou mais. Nessa experiência do cara ou coroa, a turma com mais de 60% de "cara" terá consciência de que seu resultado é uma questão de sorte, e não decorrência de algum talento inato para tirar "cara". Quando passamos para o trading, porém, os operadores amadores que acertam mais de 50% das vezes no início da carreira atribuirão esse sucesso a uma habilidade superior na tomada de decisões, e não a uma mera questão de sorte. O fato de ser possível obter êxito de curto prazo por pura sorte induz as pessoas a achar que o trading é bem mais fácil do que realmente é. Cria a ilusão de que possuem tino para o trading.

Em outras profissões, tamanha falha de percepção é inadmissível. Se você nunca fez treinamento de cirurgião, a probabilidade de executar uma neurocirurgia bem-sucedida é zero. Se nunca pegou um violino, a probabilidade de subir ao palco com a Filarmônica de Nova York e tocar um solo bem-sucedido é zero. Em qualquer profissão que você imaginar, a probabilidade de êxito, ainda que efêmero, para um neófito despreparado é zero. A possibilidade de sucesso de curto prazo sem conhecer nada é apenas uma esquisitice do trading, e muitos se deixam enganar por isso.

CAPÍTULO 6

O trading ideal vem sem esforço

Ao ler o título deste capítulo, você deve ter pensado: "Espere aí. No capítulo anterior você nos disse que o sucesso no trading exige muito trabalho pesado. Agora afirma que ele vem sem esforço. Decida. Ou um ou outro!"

> O trabalho pesado no trading ocorre na fase da preparação. Na hora do trading propriamente dito, porém, não se pode fazer esforço.

Não há contradição alguma. É a diferença entre a preparação e o processo. O trabalho pesado no trading ocorre na fase da preparação. Na hora do trading propriamente dito, porém, não se pode fazer esforço. Vou fazer uma analogia com a corrida a pé. Pense em alguém completamente fora de forma, cuja caminhada mais longa é entre o sofá e a geladeira, tentando fazer 1.500 metros em 10 minutos. Agora, pense em um atleta de nível internacional correndo os mesmos 1.500 metros em uma maratona, porém em um tempo inferior a cinco minutos, num ritmo até tranquilo. Quem está fazendo mais esforço? Bem, claramente é o corredor fora de forma, mas o atleta de alto nível tem muito mais sucesso. No entanto, ele não chegou a esse nível de competência levantando do sofá um belo dia e dando uma corridinha. Ele treinou duro durante vários anos. Portanto, o trabalho pesado ocorreu na preparação. Na hora de apresentar o desempenho ideal, porém, a corrida não pode ser uma tortura. As melhores provas são aquelas em que o maratonista corre sem sofrimento.

O mesmo conceito se aplica a vários projetos. Os melhores textos de um escritor surgem quando ele consegue escrever sem esforço. Os músicos realizam suas melhores apresentações quando tocar deixa de ser fonte de angústia.

Os mesmos princípios se aplicam ao trading. Quando tudo fluir bem, parecerá natural. Se não for assim, aumentar o grau de esforço não vai resolver as coisas. Quando você está passando por uma fase particularmente ruim no trading, quando quase toda decisão que toma parece dar errado, esforçar-se mais não ajuda. Provavelmente vai até piorar a situação. Você pode se empenhar mais na prospecção ou tentar descobrir o que não está funcionando, porém, no trading propriamente dito, esforçar-se mais não traz bons resultados. Se aumentar o esforço não é a solução para encerrar a má fase, então, qual é? Vamos responder a essa pergunta no próximo capítulo.

ZEN E A ARTE DO TRADING

Em uma das entrevistas que fiz, a questão da ausência de esforço no trading ideal apareceu com destaque. Infelizmente, foi uma conversa que não pude incluir em meus livros. Vou explicar por quê.

Muita gente se pergunta como eu consigo convencer os traders a dar entrevistas para meus livros. Uma das condutas que adoto para eliminar o receio de entrevistados em potencial é assegurar-lhes a oportunidade de revisar o capítulo finalizado antes de entregar o manuscrito ao editor. Também digo a eles que o capítulo só será publicado se o aprovarem. Acredito que essas garantias não apenas ajudam a persuadi-los a participar, mas também fazem com que se sintam mais abertos e livres ao responder a minhas perguntas. Estou certo de que se os traders que entrevistei não tivessem controle sobre o processo, fariam autocensura antes que cada resposta fosse imortalizada no papel. Embora minha promessa de não publicar a entrevista sem aprovação seja muito útil em alguns casos, também pode sair pela culatra. Já passei semanas burilando 200 páginas de manuscritos brutos para ver o entrevistado revogar sua aprovação na última hora. Felizmente, isso só aconteceu duas vezes.

Numa delas, eu tinha feito uma entrevista bastante eclética para meu livro *The new market wizards* (Os novos magos do mercado). Foi uma entrevista de amplitude um tanto incomum, abrangendo assuntos como sonhos e trading; premonição e trading; zen e trading. Coloquei tudo no papel e tive a impressão de que o resultado estava bastante bom. Conforme combinado, enviei o capítulo completo ao trader para aprovação. Uma semana depois, mais ou menos, ele me ligou.

"Li a entrevista", disse ele. "Achei bem interessante..." Senti que um "mas" estava chegando. "Mas", prosseguiu ele, "você não pode usá-la." Ocorre que ele havia decidido entrar no setor de consultoria de empresas sobre *hedge* cambial e tinha contratado um gestor para ajudar a desenvolver e vender o serviço. Esse gestor havia lido a entrevista e concluído que toda aquela história de sonhos e trading, zen e trading, etc. não ajudava exatamente a projetar a imagem corporativa desejada. "Nem pensar", disse o gestor, e "Nem pensar", disse o trader.

Tentando salvar alguma coisa de uma perda total iminente, eu disse: "Tem um trechinho que eu acho que passa uma mensagem importante, e eu odiaria descartá-lo. Deixe-me usar só esse trecho, e eu não coloco o seu nome."

Ele concordou. Por isso, *The new market wizards* tem um capítulo de duas páginas chamado "Zen e a Arte do *Trading*". Nele, o trader me pergunta: "Você já leu *A arte cavalheiresca do arqueiro zen*?"

"Não, tenho que confessar, esse eu perdi", respondi.

> A ideia essencial é: você tem que aprender a deixar a flecha se atirar sozinha. (...) No trading, assim como no arco e flecha, sempre que há esforço, força, extensão, luta ou tentativa, está errado (...) O trade perfeito é aquele que não exige fazer força.
>
> U<small>M TRADER</small>

Ele prosseguiu com seriedade, ignorando minha resposta improvisada: "A ideia essencial é: você tem que aprender a deixar a flecha se atirar sozinha. (...) No trading, assim como no arco e flecha, sempre que há esforço, força, extensão, luta ou tentativa, está errado (...) O trade perfeito é aquele que não exige fazer força."

Se você for trader, vai reconhecer a veracidade de cada uma dessas palavras.

CAPÍTULO 7

As horas boas e as horas ruins

QUANDO TUDO ESTÁ DANDO ERRADO

OK, o trading ideal é aquele que não exige esforço. Mas o que fazer naqueles longos períodos em que o trading vira um sofrimento? Como lidar com as fases em que quase tudo parece estar dando errado e você está indo ladeira abaixo? É uma pergunta que pipocou em várias entrevistas. Até mesmo os melhores traders passam por períodos de prejuízos desmoralizantes. Os magos do mercado foram bastante consistentes nas sugestões sobre como lidar com períodos complicados de perdas. Eles deram dois conselhos básicos:

1. **Reduzir o tamanho do trading.** Paul Tudor Jones disse: "Quando estou em uma má fase, sempre encolho o tamanho de minhas posições. Dessa forma, estarei operando na posição de menor tamanho no pior momento do meu trading."

Ed Seykota, pioneiro do trading sistemático de futuros e responsável por impressionantes retornos acumulados, deu um conselho parecido quando perguntei se ele tinha bloqueado milhões de dólares para evitar experiência semelhante à de Jesse Livermore (um famoso especulador do princípio do século XX, que ganhou e perdeu várias fortunas). Seykota respondeu que uma alternativa melhor era "reduzir continuamente os riscos durante desvalorizações das ações. Assim, você protege seu dinheiro e o pouso financeiro e emocional é mais suave".

Marty Schwartz corta em 80% ou até 90% o tamanho de sua posição quando passa por prejuízos que abalam sua confiança. "Depois de uma perda arrasadora", disse Schwartz, "procuro fazer o feijão com arroz, tentando ficar só no azul, no azul (...) E funciona." Schwartz se recorda de que, depois de levar um tombo inesperadamente grande de 600 mil dólares em sua conta, em 4 de novembro de 1982, ele reagiu com uma redução drástica das dimensões de seu trading, acumulando vários ganhos diminutos e terminando o mês com um prejuízo de apenas 57 mil dólares.

Ainda mais radical na redução de suas posições quando está em má fase é Randy McKay. Na época em que o entrevistei, ele havia transformado em vinte anos uma participação inicial de 2 mil dólares em um lucro de dezenas de milhões de dólares. "Enquanto estiver perdendo dinheiro vou reduzindo o tamanho do meu trading", diz. "Cheguei a baixar de até 3 mil contratos por operação para menos de 10 quando estava nessa fase, e depois retomei tudo." Ele disse considerar que essa variação abrupta no tamanho das posições é um elemento crucial de seu êxito como trader.

2. **Parar de operar.** Às vezes reduzir o tamanho do trading simplesmente não basta, e o melhor remédio para romper o círculo vicioso é simplesmente dar um tempo. Como explicou Michael Marcus: "Acredito que, no fim das contas, prejuízo traz prejuízo. Quando você começa a perder dinheiro, isso atinge negativamente as suas emoções e leva ao pessimismo.

(...) Nas fases ruins, fui capaz de dizer a mim mesmo: 'Não dá mais para continuar.'"

Richard Dennis, que transformou uma participação de 400 dólares em uma fortuna estimada em quase 200 milhões na época da nossa entrevista, compartilhou um ponto de vista bastante parecido. Para ele, prejuízos além de certo ponto têm um impacto prejudicial na capacidade de avaliação do trader. Seu conselho direto é: "Quando começarem a triturar você, tire a cabeça do liquidificador."

Quando se está em má fase, a melhor solução não é insistir, e sim exatamente o contrário: parar de operar. Faça uma pausa ou até tire férias, liquidando todas as posições ou protegendo-as com freios antes de sair. Um tempo longe dos negócios pode interromper a espiral negativa e a perda de confiança típicas das fases ruins. Na volta, retome aos poucos, começando com pequenas transações e aumentando gradualmente quando o trading voltar a acontecer sem sofrimento.

Quando se está em má fase, a melhor solução não é insistir, e sim exatamente o contrário: parar de operar.

Embora todo trader saiba quando entrou em uma má fase, pode levar algum tempo até que se dê conta da dimensão do problema. Com isso, o prejuízo talvez ultrapasse os níveis aceitáveis. Eles vão deixando as perdas crescerem sem reagir, e de uma hora para outra levam um susto ao descobrir a magnitude da desvalorização. Um jeito de se conscientizar mais rapidamente desses períodos persistentes de prejuízo e tomar atitudes corretivas antes que o estrago se torne excessivo é monitorar diariamente sua conta. Marcus deu esse conselho e observou: "Quando a tendência do seu fundo é de queda, é um sinal para baixar a bola e reavaliar."

QUANDO TUDO VAI BEM

O outro lado da moeda são aqueles momentos em que tudo parece ir quase inacreditavelmente bem. Por mais estranho que pareça, nessas horas também é melhor pensar em baixar a bola. Depois de um período particularmente intenso de lucro, Marty Schwartz também reduz o tamanho de seu trading, assim como faz quando passa por perdas particularmente importantes, porque, em suas palavras, "meus maiores prejuízos sempre vieram depois dos meus maiores lucros".

Estou certo de que muitos traders tiveram experiências semelhantes. As piores baixas costumam vir depois de períodos em que tudo parece estar funcionando à perfeição. Como explicar essa tendência de os piores prejuízos virem logo depois do melhor desempenho? Uma explicação possível é que as boas fases levam à acomodação, e a acomodação leva a um trading descuidado. Nesses períodos de ganhos intensos, diminui a probabilidade de o trader levar em conta aquilo que pode dar errado, sobretudo os piores cenários possíveis. Outra explicação é que períodos excelentes também têm maior probabilidade de ser momentos de grande exposição. Moral da história: caso seu portfólio esteja atingindo novos patamares quase todos os dias e virtualmente todos os seus trades estejam dando certo, tome cuidado! É nesses momentos que você deve se precaver contra a acomodação e ser ainda mais cauteloso.

CAPÍTULO 8

Gestão de riscos

Quando perguntei a Paul Tudor Jones qual era o conselho mais importante que ele daria aos traders em geral, ele respondeu: "Não foque em ganhar dinheiro; foque em proteger o que você tem."

A maioria dos novatos no trading acredita que o êxito nessa área é uma mera questão de descobrir o método ideal para entrar em um trade. Os magos do mercado que entrevistei, porém, costumam estar de acordo num ponto: a gestão financeira (isto é, o controle de riscos) é mais importante para o sucesso no trading do que a metodologia de escolha do trade. Você pode se sair bastante bem com uma metodologia inicial medíocre (isto é, ligeiramente melhor que o puro acaso) e uma boa gestão financeira, mas você tem alta probabilidade de perder tudo com uma metodologia inicial superior e uma gestão financeira ruim. A triste realidade é que a quantidade de atenção que a maioria dos traders iniciantes dedica à gestão financeira é inversamente proporcional à importância que ela tem.

Não foque em ganhar dinheiro; foque em proteger o que você tem.

PAUL TUDOR JONES

O "ARGUMENTO DO PENICO" E A REGRA DE KOVNER

É instrutivo examinar como os magos do mercado lidam com o controle de riscos. Marty Schwartz talvez tenha dado a melhor descrição sumária de uma abordagem eficaz a esse ponto. Seu conselho é simplesmente: "Saiba qual é o seu argumento do penico." Não sei se essa expressão ainda é usada hoje em dia, mas, quando Schwartz e eu éramos crianças, "pedir penico" era a senha de rendição para parar de apanhar. Quando dois meninos começavam a brigar e um dava uma chave de braço no outro, ele dizia: "Pede penico", um código tácito de que o adversário precisava desistir. Schwartz quis dizer o seguinte: antes de optar por uma posição, é preciso saber em que ponto você vai se retirar para evitar um sofrimento maior.

Bruce Kovner, fundador da Caxton Associates, foi um dos maiores traders macro globais de todos os tempos. Na época em que o entrevistei, ele já fazia trading havia 10 anos, tendo alcançado nesse período uma taxa média de retorno anual de inacreditáveis 87%. Embora seja quase impossível manter retornos nesse patamar, nas décadas seguintes ele sustentou um desempenho excelente, até aposentar-se, em 2011. Kovner teve uma experiência inicial no trading em que uma tomada de risco excessiva o fez perder em um só dia metade do lucro que havia acumulado. Esse choque fez dele um trader que respeitou o controle de riscos pelo restante da vida (os detalhes desse trade serão discutidos no Capítulo 17).

Um dos princípios centrais de gestão financeira de Kovner era que, antes de entrar em qualquer posição, ele predeterminava o ponto de saída, com base em uma avaliação do caminho que o mercado não seguiria, se ele estivesse certo em sua ideia de trading. "Só assim eu consigo dormir", disse Kovner. "Antes de entrar eu já sei quando vou sair." Por que é tão importante determinar o ponto de saída antes de entrar? Porque o último momento em que se tem absoluta objetividade é logo antes de entrar em um trade. Uma vez dentro, perde-se a objetividade, o que deixa o trader mais suscetível a procrastinar na hora de refletir sobre uma posição perdedora. Ao tomar a decisão de saída limitadora de prejuízos antes de entrar no trade, Kovner adotava uma estratégia de controle de riscos disciplinada e eliminava a emotividade do processo de gestão financeira.

Antes de entrar eu já sei quando vou sair.

BRUCE KOVNER

Uma observação pessoal: a regra de Kovner, determinando o ponto de saída de um trade antes de entrar, está no cerne de um trade que considero meu ponto pessoal de transição de um trader perdedor para um ganhador. Ironicamente, essa operação, que hoje vejo como uma das melhores que já realizei, deu prejuízo. Na época, eu havia feito diversas tentativas de trading, começando sempre com participações pequenas, perdendo tudo (muitas vezes por ter deixado um único trade fugir do controle) e dando um tempo antes de fazer nova tentativa. O trade da virada, que mudou tudo, envolvia o marco alemão, na época a principal moeda europeia, antes da criação do euro. O marco vinha em uma longa fase de *range* depois de um prolongado declínio. Com base em minha análise, concluí que o marco estava formando uma base de preços importante. Abri uma posição longa dentro do leque de trading, antecipando um futuro *breakout*. Ao mesmo tempo, coloquei uma ordem de *stop-loss* logo abaixo do ponto mais baixo de consolidação. Meu raciocínio era que, se eu estivesse certo, o mercado não cairia até um novo recorde de baixa. Vários dias depois, o mercado começou a cair, e eu pude usar a ordem de saída com um prejuízo pequeno. A parte boa é que, depois que saí, o declínio do mercado acelerou-se drasticamente. No passado, esse tipo de trade teria feito uma limpa na minha conta; em vez disso, tive apenas um pequeno prejuízo.

Se me pedissem para resumir em dez palavras o conselho de trading que considero mais importante, minha resposta seria aquilo que eu batizei de Regra de Kovner: saiba a hora de sair antes mesmo de entrar.

COMO NÃO COLOCAR UMA ORDEM DE *STOP*

Stops protetores, ou pontos de saída predeterminados para minimizar prejuízos, como os utilizados por Schwartz e Kovner, são uma das ferramentas mais eficazes de gestão de riscos. No entanto, muitos traders adotam abordagens disparatadas ao colocar ordens de *stop*, a ponto de tornar as coisas ainda piores. Colm O'Shea, bem-sucedido gestor de hedge funds em Londres e gestor financeiro do Citigroup, do Balyasny Asset Management e de George Soros antes de abrir seu próprio fundo, o COMAC Capital LLP, lembra como um processo malfeito de colocação de ordem de *stop* pôs a perder seu primeiríssimo trade.

Recém-contratado como trader do Citigroup, O'Shea fez uma análise de fundamentos da economia britânica e concluiu que a alta das taxas precificadas pelo mercado de juros futuros não aconteceria. Sua previsão mostrou-se absolutamente correta. Passados três meses, não houve nenhum aumento das taxas, e os juros futuros de curto prazo haviam subido 100 pontos. Embora O'Shea tivesse acertado em cheio, acabou perdendo dinheiro. Como ele pôde ter prejuízo mesmo tendo razão? O problema de O'Shea é que ele tinha uma ideia de longo prazo a respeito da taxa de juros, mas negociou no mercado com limitações de risco de curto prazo. O tempo todo suas posições eram encerradas devido a oscilações insignificantes dos preços que acionavam ordens limite. Por trás dessa conduta estava o medo excessivo de perder dinheiro

Aquele trade inicial ensinou a O'Shea que é preciso estar disposto a aceitar certo grau de risco para que um trade dê resultado. Ele descreveu como se deve colocar uma ordem de *stop* e, em seguida, comparou esse método recomendado com aquilo que muitos traders fazem na prática. "Primeiro", disse O'Shea, "você precisa decidir quando está errado. É isso que determina qual deve ser o nível do *stop*. Em seguida, precisa descobrir quanto está disposto a perder naquela ideia. Por fim, tem que dividir a quantia que se dispõe a perder pelo prejuízo por contrato no ponto de *stop*, e é isso que vai determinar o tamanho da sua posição. O erro mais comum que eu vejo é fazerem isso de trás para a frente. Começam pelo tamanho da posição. Depois decidem qual é o limiar de dor, e por fim determinam onde colocar o *stop*."

Colocar uma ordem de *stop* próxima demais também levará provavelmente a prejuízos seguidos. Como explicou O'Shea sobre esse tipo de traders, "eles saem quando se atinge um *stop*, comportadamente. Mas logo depois querem entrar de novo, porque não acham que estavam errados. Foi assim que os *day traders* da Nasdaq perderam uma montanha de dinheiro em 2000 e 2001. Por serem comportados, encerravam suas posições no final do dia. Mas repetiam continuamente o mesmo equívoco."

Em resumo, O'Shea quer dizer que, em vez de colocar a ordem de *stop* com base em seu nível de dor, você deve colocá-la em um nível que desminta sua hipótese de trade. O mercado não está nem aí para o seu limite de dor.

UMA ALTERNATIVA AOS *STOPS*[1]

Embora os *stops* possam ser uma ferramenta valiosa de gestão de risco, uma desvantagem deles é que a posição original pode virar depois do gatilho do *stop*, deixando o trader com prejuízo quando ele deveria ter ganhado dinheiro. As opções podem ser usadas como ferramentas alternativas de gestão de risco, evitando cenários frustrantes a um custo fixo predeterminado.

Por exemplo, vejamos o caso de um trader que quer comprar a ação XYZ, negociada a 24 dólares, e está disposto a arriscar um prejuízo máximo de 2 dólares. A abordagem padrão seria comprar a ação e colocar uma ordem limite de 22 dólares (claro, o prejuízo pode ainda assim exceder 2 dólares, caso a ordem limite seja aplicada abaixo de 22 dólares). Caso a ação caia a 21,80 e depois suba até 30, o trader continuaria com um prejuízo de aproximadamente 2 dólares por ação, embora tivesse razão em relação à expectativa de alta daquele papel.

Como alternativa ao uso do *stop*, o trader poderia, por exemplo, fazer uma chamada de um ano de 22 dólares em XYZ. Neste exemplo, vamos supor que o prêmio da opção seja de 3 dólares (ou 1 dólar a mais que o valor "dentro do dinheiro" da opção). Se a ação cair abaixo de 22 dólares e continuar abaixo de 22 dólares no vencimento da opção, o prejuízo do trader estaria limitado ao prêmio de 3 dólares pago pela opção, qualquer que seja a baixa do preço da ação. Se, no entanto, a ação cair abaixo de 22 e em seguida recuperar-se até 30 no momento que a opção vencer, a operação daria um lucro de 5 dólares por ação (a diferença entre o preço de vencimento de 30 dólares e o preço de *strike* de 22, subtraído o prêmio de 3 dólares por opção). Enquanto nesse cenário o trader que optou pelo *stop* terá perdido 2 dólares por ação, o trader que comprou a opção terá ganhado 5 dólares por ação (1 dólar a menos que a alta líquida do preço da ação). Evidentemente, se não ocorrer o *stop*, o trader que optou por ele estará 1 dólar melhor por ação (a parte do prêmio que excede o valor "dentro do dinheiro" da opção). As opções "dentro do dinheiro" têm a vantagem extra de exigir um aporte de *cash* muito menor que uma posição longa convencional.

Qual é a melhor forma de controlar o risco de uma posição, os *stops* ou as posições "dentro do dinheiro"? A resposta depende da preferência de cada um, da liquidez das opções e de quanto essas opções estão baratas no momento da operação. A intenção, aqui, é simplesmente mostrar que, em algumas circunstâncias e para alguns traders, as opções "dentro do dinheiro" podem proporcionar uma ferramenta de gestão de risco mais atraente que os *stops*, devendo, portanto, ser cogitadas como possível alternativa a posições simplesmente protegidas por *stops*.

GESTÃO DE RISCOS EM RELAÇÃO AO PORTFÓLIO

O *flagship* BlueCrest, um fundo multigestor administrado por Michael Platt, projetado para restringir ao máximo os prejuízos, obteve retornos anuais superiores a 12%[2] (após taxas) ao longo de 13 anos, tendo mantido a desvalorização de pico-vale abaixo de 5% durante todo esse período. Como a BlueCrest conseguiu entregar retornos de dois dígitos ao longo de um período tão extenso, mantendo a desvalorização tão baixa? A resposta reside, antes de tudo, na estratégia de gestão de risco do portfólio, que impõe limites estritos ao valor que cada gestor pode perder antes que se retire o capital. Cada ano-calendário começa do zero. Cada gestor tem autorização para perder no máximo 3%; caso contrário, sua carteira é reduzida em 50%. Caso o gestor perca de novo 3% do saldo que lhe resta, a carteira é totalmente cortada pelo restante do ano. Essas regras rígidas de controle de risco foram criadas para manter em no máximo 5% o prejuízo máximo de cada gestor (combinadas, duas perdas sucessivas de 3% resultam num prejuízo inferior a 5% porque a segunda perda de 3% atinge apenas 50% do saldo).

Você deve estar pensando que manter uma rédea tão curta de prejuízo máximo aceitável também deveria levar a retornos muito modestos. Como, então, o fundo conseguiu alcançar retornos anuais duas vezes e meia maiores, na média, que a maior desvalorização de qualquer ação em todo esse período? O segredo é que a regra de risco dos 3% se aplica apenas à carteira inicial do gestor para o ano inteiro. Por isso, embora as regras de controle de risco incentivem os gestores do fundo a serem muito cautelosos logo no início, esses mesmos gestores podem assumir riscos cada vez maiores à medida que vão criando um colchão de lucros. Na prática, um gestor pode arriscar os 3% originais mais quaisquer lucros adicionais do ano anterior antes que seja acionado o gatilho da redução de carteira. Essa estrutura garante a preservação do capital ao mesmo tempo que mantém em aberto o potencial de alta, ao autorizar maior tomada de risco com os lucros.

Alguns traders talvez considerem que o método de gestão de riscos da BlueCrest pode servir como modelo para restringir as perdas anuais a um teto predefinido, mantendo ao mesmo tempo o potencial para altas maiores. Os traders podem escolher seus próprios níveis adequados de prejuízo como limites para redução de exposição ou de encerramento de operações.

SAÍDAS RÁPIDAS EM CASO DE ENGANO

Os magos do mercado têm a capacidade de pular fora rapidamente caso se enganem. Quando entrevistei Steve Cohen, fundador da SAC Capital e um dos traders mais bem-sucedidos do planeta,[3] ele me contou de um trade em que se equivocou totalmente. "Eu estava vendido na ação a 169 dólares. Saiu o balanço e era simplesmente fenomenal – sucesso absoluto! Saí numa alta forte, no trading pós-fechamento, recomprando minha posição a 187. Nesse trade deu tudo errado. No dia seguinte a ação abriu a 197 dólares. Por isso, graças a Deus eu estava coberto pelo trading pós-fechamento."

Perguntei a Cohen se ele tinha o talento de sempre sair por cima mesmo estando equivocado. Cohen respondeu: "É melhor ter. Esse não é um jogo perfeito. Eu acompanho os números dos meus traders. O melhor deles só ganha dinheiro 63% das vezes. A maioria dos traders [da SAC] só lucra numa faixa entre 50% e 55% das vezes. Isso quer dizer que se erra muito. E, quando se erra muito, é melhor certificar-se de que o prejuízo seja o menor possível, e que o lucro seja o maior possível."

O DILEMA DO TRADER

Existe um dilema comum que a maioria dos traders já enfrentou em um momento ou outro: você tem uma posição que lhe é adversa, mas mesmo assim acredita naquele trade. Por um lado, não quer que o prejuízo naquela posição fique ainda pior; por outro, tem medo de, assim que pular fora, o mercado virar em favor do trade liquidado. É um conflito que pode fazer o trader travar e não agir na hora que as perdas se acumulam. Steve Cohen também tinha conselhos úteis para lidar com esse tipo de situação. "Caso o mercado esteja indo contra você, sem que você saiba o motivo, saia pela metade. Sempre dá para voltar depois. Se você fizer isso duas vezes, terá tirado três quartos da posição. O que sobrar já não será mais relevante."

Sofrer um prejuízo parcial é muito mais fácil do que liquidar completamente uma posição, e não deixa de ser um jeito de agir em vez de procrastinar. No entanto, a maioria dos traders resiste à ideia de uma liquidação parcial. Por quê? Porque a liquidação parcial é a garantia total de que você cometeu um erro. Se ocorrer uma reviravolta no mercado, então é porque você não devia ter liquidado nada; e se o mercado continuar desfavorável, então é porque deveria ter liquidado totalmente a posição. O que quer que aconteça, você estará parcialmente errado. A necessidade de ter 100% de razão impede que muitos traders cogitem a liquidação parcial. Infelizmente, ao tentar estar 100% certos, muitos acabam ficando 100% errados. Da próxima vez que hesitar entre liquidar uma posição perdedora ou trincar os dentes e aguentar a tempestade, lembre-se de que existe uma terceira opção possível: a liquidação parcial – alternativa que, como aponta Cohen, pode ser usada várias vezes numa mesma posição.

> Se estiver em dúvida, liquide e tenha uma boa noite de sono. Já fiz isso um monte de vezes e no dia seguinte tudo fica mais claro. (...) Quando você está dentro [da posição], não consegue raciocinar. Ao liquidar, consegue pensar de novo com clareza.
>
> Michael Marcus

Michael Marcus argumenta que, quando se está confuso em relação àquilo que se deve fazer com uma posição, liquidar é o melhor jeito de recuperar a clareza. "Se estiver em dúvida, liquide e tenha uma boa noite de sono. Já fiz isso um monte de vezes e no dia seguinte tudo fica mais claro. (...) Quando você está dentro [da posição], não consegue raciocinar. Ao liquidar, consegue pensar de novo com clareza." Essa observação de Marcus, de que se obtém mais clareza fora de uma posição, faz lembrar o raciocínio por trás do conselho de Bruce Kovner, de escolher a hora de sair antes de entrar em um trade.

UM MOTIVO SUBESTIMADO PARA EVITAR GRANDES PERDAS

É bastante óbvia a consequência negativa direta de deixar um prejuízo se avolumar desnecessariamente. Porém, existe outra consequência de um prejuízo grande, bem menos óbvia, que pode ter um enorme impacto negativo sobre uma aplicação. Um prejuízo grande faz o trader travar mentalmente, o que resulta no desperdício de oportunidades vencedoras. Veja o que Michael Platt tem a dizer sobre prejuízos grandes: "Você se sente um idiota e fica sem ânimo para tentar qualquer outra coisa. Aí, a oportunidade passa na sua frente e você não consegue agarrá-la. Isso acontece com uma frequência insuportável. É um jogo em que você quer estar no lugar certo quando aquele trade espetacular aparecer. É a regra dos 80/20 que vale para a vida. No trading, 80% do lucro do seu portfólio vem de 20% das suas ideias."

NÃO É FÍSICA QUÂNTICA

Gestão financeira não precisa ser algo complexo. Embora livros inteiros se dediquem exclusivamente a esse tema, acredito que uma regra tão simples que pode ser resumida em uma única frase pode fazê-lo percorrer 90% do caminho.

Larry Hite, cofundador do Mint Investment, um dos consultores de trading de commodities mais bem-sucedidos dos anos 1980, expôs de maneira muito clara sua impressão em relação ao ingrediente mais importante da estratégia de sua empresa: "A primeiríssima regra que seguimos à risca na Mint é: nunca arrisque mais do que 1% da carteira total em um único trade." Eis a gestão financeira eficiente em uma única frase. Como Hite acrescentou, "ao arriscar apenas 1%, não preciso me preocupar com nenhum trade específico". Essa regra simples funciona porque evita que um único trade infeliz faça um enorme estrago. Pode até ser que você perca dinheiro operando, mas não será eliminado do jogo por causa de um ou outro trade ruim, em que se permite o acúmulo de prejuízos sem limite – um doloroso desfecho vivenciado por muitos traders, até mesmo aqueles com metodologias eficazes de entrada no trade.

Não há nada de mágico nesse limite de 1%; você poderia usar 0,5% ou 2%, ou qualquer valor mais apropriado à sua estratégia. A questão-chave é a existência de um limite bem definido para o prejuízo em qualquer trade. Uma gestão financeira eficaz não é uma questão de complexidade, e sim de disciplina. Mesmo as mais simples regras de controle de risco provavelmente darão para o gasto, desde que você tenha a disciplina de cumpri-las.

CAPÍTULO 9

Disciplina

Quando perguntei aos magos do mercado o que os diferenciava da maioria dos traders, a resposta mais comum que recebi foi "disciplina". Pois bem, a necessidade de disciplina é um desses conselhos de trading que você provavelmente já ouviu tanto antes que, se eu voltasse a mencioná-lo aqui e agora, seria ignorado. Essas regras são chatas e fáceis de esquecer. Casos reais, por sua vez, têm potencial de despertar interesse e ser lembrados. Por isso, em vez de simplesmente repetir a regra da necessidade da disciplina no trading, conto agora uma história sobre essa característica — que, espero, virá à sua mente na próxima vez que estiver prestes a baixar a guarda nos mercados. Minha história favorita sobre disciplina, nas entrevistas que realizei, tem como protagonista Randy McKay, um trader peculiar e muito bem-sucedido.

QUANDO MCKAY BAIXOU A GUARDA

A carreira de McKay começou quando surgiu o trading cambial de futuros, mas não foi um início promissor. Ele não conseguiu nem completar a faculdade – saiu em 1968 devido a seis notas zero. Aquele ano, vale lembrar, foi o auge da Guerra do Vietnã.

Como não era mais estudante, McKay foi logo convocado pelos fuzileiros (embora raramente convocassem recrutas, em 1968 houve dois meses em que eles receberam uma pequena cota de alistados). Quando McKay voltou do Vietnã, em 1970, seu irmão, que era corretor na Bolsa Mercantil de Chicago [CME, sigla inglesa para Chicago Mercantile Exchange], arrumou-lhe um emprego de contínuo no pregão. Esse emprego permitia a McKay trabalhar de manhã e cursar a faculdade no fim da tarde e à noite.

McKay não tinha a intenção de se tornar trader. Mas, quando já estava quase se formando, em 1972, a CME criou uma subdivisão chamada Mercado Monetário Internacional [IMM, sigla inglesa para International Monetary Market], para operar com moedas. Na tentativa de gerar atividade nos novos contratos de futuros cambiais, a CME abriu vagas no IMM para todos os que já eram traders. Como à época o irmão de McKay não precisava da vaga, perguntou a Randy se ele queria ocupá-la temporariamente. Naquele primeiro ano de trading de futuros cambiais, o mercado era tão parado que os traders do pregão de moedas passavam mais tempo jogando xadrez e damas ou lendo os jornais do que operando. McKay descobriu que levava jeito para o trading. Ele se deu bem no primeiro ano e continuou ganhando dinheiro ano após ano.

Para contextualizar melhor, é importante esclarecer que McKay era um trader muito disciplinado. Talvez a melhor forma de ilustrar essa informação seja sua experiência logo depois do Plano Carter, de resgate do dólar, em novembro de 1978. O dólar vinha caindo de modo constante em relação às principais moedas, ao longo do ano inteiro. Então, num fim de semana de novembro, quando todas elas estavam próximas de valores recordes em relação ao dólar, o presidente

Jimmy Carter anunciou um plano de apoio à moeda americana. Esse anúncio pegou o mercado de surpresa e provocou uma forte queda das moedas estrangeiras.

Na época, McKay estava fortemente comprado em libras esterlinas britânicas. Na manhã de segunda-feira, o mercado de futuros da libra abriu paralisado pelo limite de queda.[1] Mesmo estando em limite de queda na abertura (uma queda de 600 pontos), era possível negociar moedas no mercado interbancário, que atingiu um preço de equilíbrio instantâneo, permitindo que se operasse livremente. McKay liquidou sua posição comprada em libras naquela manhã no mercado interbancário, que estava negociando 1.800 pontos abaixo, o equivalente a três oscilações a limites de queda consecutivas nos futuros.

Perguntei a McKay: "Em situações catastróficas, quando uma notícia surpreendente leva à interrupção do mercado no limite diário e o mercado de espécie atinge imediatamente o equivalente a vários dias-limite no futuros, na sua opinião é melhor sair na hora ou, ao contrário, correr o risco de esperar até o mercado de futuros operar livremente?"

Quando eu tomo uma pancada no mercado, pulo fora total. Não faz a menor diferença em que ponto está o mercado. Pulo fora, simplesmente, porque acredito que, quando você apanha, suas decisões passam a ser bem menos objetivas do que quando você está se dando bem.

RANDY MCKAY

A resposta de McKay a essa pergunta não deixa a menor dúvida quanto a seu ponto de vista em relação à disciplina. "Sigo um princípio que nem sequer me permite tomar essa decisão", disse. "Quando eu tomo uma pancada no mercado, pulo fora total. Não faz a menor diferença em que ponto está o mercado. Pulo fora, simplesmente, porque acredito que, quando você apanha, suas decisões passam a ser bem menos objetivas do que quando você está se dando bem. E se o mercado tivesse recuperado 1.800 pontos naquele dia, fechando mais alto, eu não estaria nem aí. Se você insiste quando o mercado está totalmente contra você, mais cedo ou mais tarde ele acaba te arrastando."

Aquele foi, de longe, o trade de maior prejuízo de McKay até então, custando-lhe 1,5 milhão. Perguntei o que passou pela cabeça dele na época. McKay disse não lamentar. "Enquanto você ainda está posicionado", contou, "a ansiedade é enorme. Depois que você sai, começa a esquecer. Se você não é capaz de tirar aquele prejuízo da cabeça, não pode ser trader."

Portanto, McKay claramente era disciplinado. Agora vamos dar um salto de dez anos no tempo, até o "penúltimo trade" de McKay. No último trade, McKay atingiria sua meta de amealhar 50 milhões no mercado. O penúltimo trade deveria aproximá-lo bastante dessa meta, só que não foi bem assim que as coisas aconteceram. Esse trade envolvia uma importante posição comprada em dólares canadenses. A moeda tinha ultrapassado a crucial barreira psicológica dos 80 centavos, e McKay tinha a convicção de que subiria muito mais. À medida que o mercado andava na direção desejada, McKay ia ficando cada vez mais comprado, chegando a acumular uma posição de 2.000 contratos.

Naquela época, McKay estava construindo uma casa na Jamaica, para onde ia de vez em quando supervisionar a obra.

Num domingo à noite, antes de correr para o aeroporto para pegar seu voo com conexão em Miami, McKay resolveu checar as cotações. Só estava preocupado com uma posição: o dólar canadense. Olhou para a tela e ficou por algum tempo em estado de choque. O dólar canadense tinha despencado exatos 100 pontos! Ele estava atrasado para o voo, e o chofer estava esperando. *O dólar canadense raramente oscila 20 pontos no overnight, que dirá 100 pontos. Deve ser um erro da tela*, pensou McKay. Ele concluiu que na verdade o mercado estava inalterado, e que o número exibido na cotação tinha um erro de um dígito. Racionalizando assim, correu para o aeroporto.

O fato é que a cotação daquela noite não estava errada. O mercado tinha caído 100 pontos até aquele instante, e na manhã seguinte estava 150 pontos abaixo do fechamento de sexta do IMM. O que aconteceu foi que, faltando um mês para as eleições no Canadá, uma pesquisa recém-divulgada mostrou que o candidato liberal – que tinha algumas opiniões radicais, entre elas o apoio à independência do Quebec, e que se acreditava sem chance de vitória – tinha encostado no adversário. Da noite para o dia, a eleição, que parecia resolvida, tornou-se uma incerteza.

Para piorar as coisas, embora a obra já estivesse suficientemente adiantada e McKay pudesse se hospedar na casa, os telefones ainda não tinham sido instalados. Estamos falando da época pré-celular. Se quisesse ligar para alguém, ele precisava ir de carro até o hotel mais próximo e esperar na fila para usar um telefone público. Na hora em que conseguiu contato com o operador, sua posição em dólares canadenses havia perdido 3 milhões. Como o mercado também já havia caído muito até ali, McKay retirou apenas 20% de sua posição. O dólar canadense, porém, continuou despencando. Alguns dias depois, a perda de

McKay chegava a 7 milhões. Ao se dar conta da dimensão do prejuízo, gritou para seu operador: "Me tira de tudo!"

Eis, portanto, o caso de um trader experiente que baixou a guarda momentaneamente, supondo que uma queda inesperada do preço se devia a um erro de digitação, e não à realidade – conclusão apressada para a qual contribuiu o fato de estar atrasado para o voo –, o que lhe custou 7 milhões. É verdadeiramente incrível como o mercado não tolera nem sequer a mais fugaz falta de disciplina dos traders. Da próxima vez que se sentir tentado a dar uma relaxada e violar uma de suas próprias regras de trading ou de controle de risco, pense em McKay.

CAPÍTULO 10

Independência

Não é surpresa que os traders mais bem-sucedidos sejam independentes. Michael Marcus fez uma observação sobre a necessidade de independência. "É preciso seguir sua luz", disse. "(...) Enquanto você for fiel ao seu estilo, vai colher o que há de bom e de ruim em seu próprio método. Quando tenta incorporar o estilo de outra pessoa, muitas vezes acaba concentrando o pior dos dois estilos."

UM CASO PESSOAL

Ouvir os conselhos e as opiniões dos outros pode ser prejudicial à saúde do seu próprio trading em diversas situações. Tenho uma experiência pessoal que é o exemplo definitivo disso. Você talvez ache que estou distorcendo a história para ficar melhor, porque tudo parece acontecer de um jeito perfeito demais, mas posso jurar que todos os acontecimentos são descritos exatamente como ocorreram.

Depois que escrevi *Os magos do mercado financeiro*, um dos traders que entrevistei para o livro – não darei o nome dele aqui – passou a me ligar periodicamente para discutir o mercado. Na época, além de ser diretor de pesquisa de futuros, eu também era analista técnico do mercado de futuros da minha empresa. Esse trader tinha interesse na leitura técnica que eu fazia dos diversos mercados de futuros. Eu me indagava por que ele iria querer minha opinião, sendo muito melhor que eu como trader. O máximo que eu podia imaginar é que talvez ele cogitasse apostar contra mim no mercado. Mas isso não fazia sentido algum.

Certa manhã, o trader me ligou e começou a repassar a situação do mercado, pedindo minha opinião. Em determinado momento, abordou o iene japonês. Na época, eu estava numa fase ruim de trading, tendo reduzido fortemente as posições da minha conta. O único mercado sobre o qual eu tinha opiniões firmes era o do iene. "Acho que vai cair", disse. "O mercado deu uma forte despencada, seguida de uma consolidação bem ajustada. Pela minha experiência, quando ocorre essa combinação padrão, o mercado costuma cair de novo."

O trader me deu, então, 58 razões pelas quais eu estava enganado. Tal fator de oscilação estava superestimado, aquele outro também, e assim por diante. "Provavelmente você tem razão", respondi. "É apenas uma opinião."

Já naquela época, ou seja, mais de vinte anos atrás, eu sabia muito bem que não se deve dar ouvidos a qualquer opinião. Mas o que aconteceu foi o seguinte: naquela tarde, tive que fazer uma viagem a Washington e ficaria fora por alguns dias. Minha agenda estava bem ocupada e eu sabia que não haveria tempo de acompanhar os mercados. Pensei: "Ultimamente eu não tenho me dado tão bem. Só me resta uma posição importante. Será que eu quero mesmo apostar contra um dos melhores traders que conheço – e é aí que entra o autoengano, espere só – quando eu não terei a menor condição de acompanhar o mercado?" Por isso, contrariando minha intuição, fui até a mesa de operações *after-hours* e dei a ordem para liquidar minha posição. Era um autoengano, porque eu poderia simplesmente ter feito uma ordem de *stop* preventiva. Manteria uma posição prudente sem precisar acompanhar o mercado.

Tenho certeza de que você não ficará nem um pouco surpreso ao saber que, dias depois, quando voltei de viagem, o iene tinha caído centenas e centenas de pontos. Mas é agora que precisa acreditar em mim. Nesse mesmo dia, o trader me ligou. Embora eu estivesse bastante curioso para saber a opinião dele sobre o iene naquele momento, depois de uma forte queda, contradizendo totalmente sua opinião em nossa última conversa, eu não seria tão sem noção a ponto de tocar no assunto. Mas foi ele que perguntou: "O que você acha do iene?"

Fazendo-me de bobo, como se eu só então tivesse me lembrado de nossa conversa anterior, eu respondi: "Ah, é, o iene. Você ainda está comprado?"

Ele exclamou, pelo telefone: "Comprado? Eu estou vendido!"

A moral é que, quando você dá ouvidos à opinião alheia, por mais habilidoso ou esperto que o trader seja, garanto que a coisa vai acabar mal.

O que eu não contei é que era um trader extremamente curtoprazista. Para ele, um trade de um dia era de longo prazo, enquanto para mim a definição de longo prazo era, digamos, duas semanas. Por isso, quando ele veio falar comigo, estava verdadeiramente agitado em busca de uma alta de curto prazo (leia-se: *intraday*). Mas, como o mercado não reagiu da forma que ele esperava, concluiu que estava do lado errado, liquidou a posição comprada, ficou vendido e ganhou 200 pontos – enquanto eu, que tinha razão desde o começo, não fiz nada. A moral é que, quando você dá ouvidos à opinião alheia, por mais habilidoso ou esperto que o trader seja, garanto que a coisa vai acabar mal. Não se deixe levar pelo que os outros acham. Nas palavras de Michael Marcus, "você precisa seguir a sua luz".

CAPÍTULO 11

Confiança

Quando perguntei a Paul Tudor Jones se ele investia seu dinheiro em seus próprios fundos, ele respondeu: "85% do meu patrimônio está investido nos meus fundos." Por que uma fatia tão grande? Porque, nas palavras dele, "acho que é o lugar mais seguro do mundo". Esse comentário foi feito por um trader de futuros. Na visão de Jones, guardar quase todo o patrimônio líquido no próprio fundo de trading de futuros era o investimento mais seguro que ele podia fazer. O que isso ensina a você? Que ele tem uma enorme confiança na própria capacidade de gerir dinheiro.

    Monroe Trout, outro trader de futuros, foi ainda mais longe que Paul Tudor Jones. Ele me disse que mantém 95% do dinheiro dele em fundos próprios. Alguns traders têm tanta confiança no próprio método que investem 100% do patrimônio líquido na própria estratégia. Nos seus primeiros tempos de trading, Gil Blake assumiu quatro segundas hipotecas sucessivas em um período de três anos (o que foi possível devido à alta acelerada dos preços dos imóveis), só para aumentar sua participação no trading. Quando perguntei a ele se tudo bem pedir dinheiro emprestado para fazer trading, ele respondeu: "Não, mas é fato que as probabilidades eram favoráveis. Evidentemente, eu tive que passar por cima do senso comum. Se você disser a alguém que assumiu uma segunda hipoteca para operar, é difícil a reação ser de apoio. Depois de algum tempo, simplesmente parei de mencionar esse detalhe."

A maioria das pessoas veria como comportamento de alto risco o percentual tão alto do patrimônio líquido que esses traders colocam em seus próprios fundos ou contas de trading. Mas, com toda certeza, não é assim que eles pensam. Pelo contrário: como fica claro por seus comentários, consideram que se trata de um investimento seguro – ponto de vista que reflete o alto nível de confiança que têm no próprio método e na capacidade de gerir dinheiro.

Descobri que confiança é uma das características mais constantes demonstradas pelos traders de sucesso que entrevistei.

Essa observação leva a uma pergunta crucial: esses traders são bem-sucedidos porque são confiantes ou são confiantes porque são bem-sucedidos? Embora seja impossível responder de forma definitiva a essas perguntas de causa e efeito de mão dupla, acredito que as duas afirmações são corretas. Com certeza, o êxito no trading levou à confiança, mas também acredito que a confiança levou ao êxito no trading. Na verdade, descobri que confiança é uma das características mais constantes demonstradas pelos traders de sucesso que entrevistei.

Um jeito de medir se você será um trader bem-sucedido é perguntar-se se confia no êxito. Só você pode decidir qual é o seu grau de confiança. Como saber quando ela é suficiente para dar certo como trader? Com base nas entrevistas que realizei, tudo que posso afirmar é que você saberá quando tiver chegado lá. Se não tiver certeza, é porque ainda não chegou lá e precisa ter consciência disso, agindo de maneira mais cautelosa ao comprometer capital de risco. Um sinal claro de que lhe falta confiança é a busca de aconselhamento alheio.

CAPÍTULO 12

Perder faz parte do jogo

O ELO ENTRE A CONFIANÇA E A ACEITAÇÃO DE UM PREJUÍZO

Uma ideia intimamente ligada à de confiança é a de que perder faz parte do jogo. Linda Raschke exemplifica a mentalidade associada a essa perspectiva. No início, ela teve uma carreira de sucesso como trader no pregão, mas um acidente de equitação obrigou-a a operar de dentro de um escritório. Mesmo assim, continuou tendo lucros constantes durante anos, apesar de fora da sala do pregão.

Em determinado momento de nossa entrevista, Raschke disse: "Nunca fiquei incomodada em perder, porque sempre soube que ia me recuperar logo." Superficialmente, pode parecer uma afirmação arrogante e egocêntrica. Mas isso não combina em nada com a personalidade de Raschke. Ela não estava se gabando de seu talento. Sua mensagem era: "Tenho uma metodologia que sei que será vitoriosa no longo prazo. Ao longo do caminho haverá alguns prejuízos. Se eu perder agora, vou ganhar depois. Desde que eu seja fiel à minha metodologia e continue fazendo o que faço, vou chegar na frente." Ou seja, perder faz parte do processo. Um trader só será bem-sucedido se entender isso.

> Se você já sabe que ganhou o jogo do trading antes mesmo de começar, sofrer um prejuízo deixa de ser um problema, porque compreende que é apenas uma parte do caminho até o lucro final.

O dr. Van Tharp, um psicólogo e pesquisador que entrevistei para *Os magos do mercado financeiro*, fez sua própria análise da diferença entre traders vencedores e perdedores. Para isso, listou todas as crenças cruciais em comum que conseguiu identificar nos maiores traders. Duas delas tinham relação direta com o tema deste capítulo. Primeira: os grandes traders acreditam que perder dinheiro no mercado faz parte. Segunda: eles sabem que ganharam o jogo antes mesmo de começar. Se você já sabe que ganhou o jogo do trading antes mesmo de começar, sofrer um prejuízo deixa de ser um problema, porque compreende que é apenas uma parte do caminho até o lucro final.

COMO UM TRADER PERDEDOR SE ILUDE

Marty Schwartz fez uma descrição de como sua transição de trader perdedor para trader vencedor exigiu a aceitação de que perder fazia parte do jogo. Ele conta: "Qual é o cúmulo do autoengano para um operador em uma posição perdedora? 'Eu vou sair quando empatar.' Por que sair empatado é tão importante? Porque protege o ego. Eu adquiri condições de virar um vencedor quando fui capaz de dizer: 'Dane-se o meu ego – ganhar dinheiro é mais importante.'"

Quando você sai empatado, pode dizer: "Eu não errei. Não cometi um erro." É exatamente por conta dessa necessidade de não estar errado que a pessoa acaba perdendo. O irônico, portanto, é que o trader amador perde dinheiro porque tenta evitar perder. Traders profissionais, por sua vez, compreendem que é preciso aceitar prejuízos quando se quer vencer. Compreendem que sofrer uma perda é parte integrante do processo. Para ganhar no trading, você precisa entender que perder faz parte do jogo.

OS QUATRO TIPOS DE TRADES[1]

A maioria dos traders acha que existem dois tipos de trade: os vencedores e os perdedores. Na verdade, existem quatro: os vencedores e os perdedores, os bons e os maus. Não confunda os conceitos de trades vencedores e perdedores com o de trades bons e maus. Um bom trade pode perder dinheiro, e um mau trade pode ganhar dinheiro. Um bom trade é aquele que obedece a um processo que será lucrativo (a um risco tolerável) quando repetido múltiplas vezes, mesmo que possa perder dinheiro em um trade individual.

Suponha que eu lhe proponha apostar no cara ou coroa com uma moeda que você sabe não ter sido trucada (a moeda é sua e você a lança): se der cara, você me paga 100 reais; coroa, eu lhe pago 200. Você aceita a aposta, lança a moeda, e dá cara. Foi uma aposta ruim? É claro que não. Foi uma boa aposta e, ao mesmo tempo, uma aposta perdedora. Mas se repetirmos essa aposta várias vezes, você vai se sair muito bem. Aceitar a primeira aposta foi uma decisão correta, mesmo você tendo perdido dinheiro. Da mesma forma, um trade perdedor que obedece a uma estratégia lucrativa continua sendo um bom trade, porque se trades semelhantes forem repetidos inúmeras vezes, no fim das contas o processo será vitorioso.

O trading é uma questão de probabilidades. Até mesmo os melhores processos dão prejuízo num percentual de tempo significativo. Não existe um jeito de saber *a priori* qual trade específico vai dar dinheiro. Desde que obedeça a um processo que tenha uma vantagem positiva, ele será um bom trade, independentemente de ganhar ou perder, porque se trades semelhantes forem repetidos inúmeras vezes, na média serão lucrativos. De modo inverso, um trade que é encarado como uma aposta é um trade ruim, não importando se ganha ou perde, porque, com o passar do tempo, dará prejuízo. Numa analogia com o mundo das apostas, uma jogada ganhadora no caça-níqueis continua sendo uma má aposta (isto é, um mau trade), porque, se repetida múltiplas vezes, a probabilidade de perder dinheiro é muito alta.

DISPOSIÇÃO PARA PERDER

Você não tem como ganhar se não estiver disposto a perder. Bruce Kovner afirma que uma das coisas mais importantes que aprendeu com Michael Marcus foi: "Você tem que estar disposto a cometer erros regularmente; não há nada de errado com isso. Michael me ensinou a decidir da forma mais sensata, enganar-se, decidir da segunda forma mais sensata, enganar-se, decidir da terceira forma mais sensata, e aí ver seu investimento dobrar de valor."

CAPÍTULO 13

Paciência

Quando lhe perguntaram em que situação o trader comum mais comete erros, Tom Baldwin – o maior trader individual de fundos do Tesouro na época anterior ao trading eletrônico – respondeu: "Eles operam demais. Não são seletivos o bastante na escolha dos *stops*. Basta verem o mercado se mexer que querem participar do movimento. Assim, acabam forçando o trade, em vez de aguardar com paciência. A paciência é uma característica importante, e muitos carecem dela."

SÉCULOS DE SABEDORIA

Talvez o mais famoso livro sobre trading já escrito seja *Reminiscências de um especulador financeiro*, de Edwin Lefèvre, publicado em 1923 e até hoje, quase cem anos depois, notavelmente pertinente. Trata-se de um relato autobiográfico ficcionalizado das experiências em trading do protagonista, que todos acreditam ser Jesse Livermore. A obra capta de maneira tão precisa a mentalidade de um trader que, quando a li pela primeira vez, 35 anos atrás, lembro-me de que muita gente supunha, erroneamente, que Edwin Lefèvre era um pseudônimo de Jesse Livermore.

> Existem os tolos comuns, que fazem tudo errado o tempo todo em toda parte, mas existe o tolo de Wall Street, que acha que precisa fazer trades o tempo todo.
>
> REMINISCÊNCIAS DE UM ESPECULADOR FINANCEIRO, DE EDWIN LEFÈVRE

Em *Reminiscências*, o narrador afirma: "Existem os tolos comuns, que fazem tudo errado o tempo todo em toda parte, mas existe o tolo de Wall Street, que acha que precisa fazer trades o tempo todo." Em outro trecho, ele explica o motivo da compulsão do trader por operar todos os dias e a consequência dessa mentalidade: "A compulsão pela atividade constante, sem levar em conta as condições subjacentes, é responsável por muitos prejuízos em Wall Street, até mesmo entre os profissionais, que acham que precisam trazer dinheiro para casa todo santo dia, como se fossem assalariados." A mensagem é clara: você precisa ter paciência e aguardar oportunidades reais, resistindo à tentação de fazer trades o tempo todo.

UM MESTRE DA PACIÊNCIA

Quando entrevistei Michael Marcus, ele identificou Ed Seykota como a pessoa mais influente em sua trajetória até se tornar um trader bem-sucedido. Seykota foi um dos pioneiros do trading sistemático de futuros, obtendo retornos compostos notáveis. Uma de suas contas, iniciada em 1972 com 5 mil dólares, havia aumentado 250.000% na época em que o entrevistei, em 1988.

Uma das lições mais importantes que Marcus aprendeu com Seykota foi a paciência. Como lembra Marcus, "certa vez, ele estava vendido em prata, e o mercado continuava em lenta desvalorização, alguns centavos em um dia, um pouco mais no outro. Todo mundo andava agitado, especulando que a prata teria que subir, porque estava muito barata, mas Ed continuou vendido. Ele dizia: 'A tendência é de baixa, e vou continuar vendido até a tendência mudar.' Aprendi a paciência vendo o jeito como ele seguia a tendência."

Quando entrevistei Seykota, fiquei surpreso ao ver que ele não tinha uma tela de cotações na mesa. Perguntei por quê. Seykota respondeu com sarcasmo: "Ter uma tela de cotações é como ter um caça-níqueis na mesa – você acaba usando o dia inteiro. Só me informo das cotações depois do fechamento de cada dia." O sistema de Seykota lhe fornecia notificações de trade quando as condições para uma operação eram atendidas, com base nos preços diários. Seykota não se interessava sequer pelas oscilações *intraday* do mercado, já que elas só serviam como tentação para operar com mais frequência do que sua metodologia recomendava. O risco de ficar de olho em cada oscilação é duplo: pode levar ao *overtrading* e aumentar a probabilidade de liquidar precocemente uma boa posição com base em movimentos adversos insignificantes do mercado.

O PODER DE NÃO FAZER NADA

A ideia básica é que você precisa esperar pelas oportunidades de trading e resistir ao desejo natural de operar com mais frequência. Jim Rogers ressaltou a importância de só operar quando se tem uma convicção muito robusta. "Uma das melhores regras que se pode aprender sobre investimentos", disse, "é não fazer nada, absolutamente nada, a menos que haja alguma coisa a ser feita."

Em seguida, quando perguntei a Rogers se ele sempre fazia questão de que tudo estivesse perfeitamente alinhado antes de entrar numa posição, ou se de vez em quando fazia um trade com base em um palpite de movimentação iminente de preços, ele respondeu: "O que você acaba de descrever é o caminho mais rápido para a miséria. Eu só espero até o dinheiro estar disponível ali na esquina. Aí eu só preciso ir até lá buscar." Em outras palavras, enquanto o trade não for tão óbvio quanto pegar dinheiro no chão, ele não faz nada. Esperar oportunidades tão ideais exige paciência, deixando vários trades não ideais passarem sem participar.

A ideia de que você não precisa operar sempre também foi mencionada por Joel Greenblatt, gerente do Gotham Capital, um hedge fund orientado a eventos. Durante seus 10 anos de operação (1985-1994), o Gotham obteve um retorno composto médio anual de 50% (fora taxas de incentivos), sendo que o pior ano teve um resultado positivo de 28,5%. Greenblatt fechou o Gotham Capital porque os ativos cresceram tanto que já estavam comprometendo os retornos. Depois de um período operando apenas com capital próprio, ele voltou à gestão financeira usando estratégias baseadas em valor, que podiam acomodar um capital maior.

Em Wall Street não tem bandeirinha
para marcar impedimento.

WARREN BUFFETT

Como passatempo, Greenblatt deu aulas na Columbia Business School durante vários anos. Em nossa entrevista, ele contou o conselho que dava aos estudantes que lhe perguntavam sobre empresas cujo faturamento futuro era difícil prever, devido a rápidas mudanças tecnológicas, novos produtos ou outros fatores. Greenblatt é um grande fã de Warren Buffett e recorreu a um ditado de Buffett ao aconselhar os alunos sobre como lidar com situações de investimento ambíguas como essas. "Digo a eles que deixem passar aquela empresa e encontrem outra que saibam analisar. Como diz Warren Buffett, 'Em Wall Street não tem bandeirinha para marcar impedimento.' Você pode ficar na banheira, esperando a bola, e chutar apenas quando deixarem ela quicando no seu pé."

Claude Debussy dizia: "Música é o espaço entre as notas." Também poderíamos dizer que o trading bem-sucedido é o espaço entre os trades. Assim como as notas não tocadas são importantes para a música, os trades não realizados são importantes para o êxito no trading. Kevin Daly, trader de ações que entrevistei, dá um exemplo perfeito desse princípio. Embora, tecnicamente, Daly seja um gestor de ações *long/short*, sua posição vendida é sempre pequeníssima – em geral na faixa de um dígito percentual em relação ao total de ativos sob sua gestão. Portanto, desse ponto de vista, ele está muito mais perto de ser um gestor de *equities* somente comprado do que um gestor *long/short*. Ele criou o fundo no final de 1999, uns seis meses antes, apenas, do auge da bolsa, no início do ano 2000. Era, claramente, um momento inadequado para um gestor cujo portfólio consistia basicamente em estar comprado em *equities*. Mesmo assim, apesar desse *timing* desfavorável, na época em que entrevistei Daly ele tinha conseguido um retorno bruto acumulado de 872% em um período de onze anos, contra apenas 68% de alta do índice Russell 2000 e até uma queda de 9% do índice S&P 500.

Como Daly obteve retornos tão robustos em um período em que a bolsa ficou quase inalterada, e apesar de gerir um portfólio predominantemente comprado? Parte da resposta é que ele era muito bom na escolha de ações que superavam os índices. Mas talvez o fator mais importante para explicar o desempenho incomum de Daly é que ele tinha a disciplina de segurar boa parte do dinheiro em momentos de ambiente negativo no mercado, o que lhe permitiu fugir de fortes desvalorizações durante dois períodos de baixa. Houve dois momentos em que o índice S&P 500 perdeu quase metade de seu valor; nesses períodos, a maior baixa pico-vale sofrida por Daly foi de apenas 10%. O truque é que, ao driblar fortes baixas evitando operar, Daly conseguiu aumentar tremendamente seu retorno acumulado. Atingir esse resultado exigia manter uma exposição muito baixa durante boa parte do prolongado *bear market* de 2000-02. Pense no quanto isso exige paciência. A paciência de Daly e os trades que ele não realizou fizeram toda a diferença.

Mark Weinstein, outro trader que entrevistei para *Os magos do mercado financeiro*, usou uma analogia com o mundo animal para ilustrar o elo entre paciência e um trading de qualidade: "Não perco muito nos meus trades porque aguardo o momento exato. (...) Embora a chita seja o animal mais rápido do mundo, capaz de alcançar qualquer outro na savana, ela espera até ter certeza absoluta de que vai capturar sua presa. Pode ficar uma semana escondida nos arbustos até chegar o momento ideal. Fica à espera de um bebê antílope, não um bebê antílope qualquer, mas de preferência aquele que estiver doente e manco. Só aí, quando não houver qualquer possibilidade de perder a presa, é que ela ataca. Para mim, isso representa o ápice do trading profissional."

Como demonstram os exemplos anteriores, os magos do mercado aguardam pacientemente, sem fazer nada, até que apareça uma oportunidade de trade atraente o bastante. A lição é que, quando as condições não são ideais, ou o custo-benefício do risco não é favorável o suficiente, não se deve fazer nada. Cuidado com trades duvidosos oriundos da impaciência.

Não fazer nada é mais difícil do que parece, porque exige resistir à tendência natural do ser humano a fazer trades com mais frequência – consequência da natureza viciante do trading. William Eckhardt, um bem-sucedido trader de longo prazo, consultor de commodities e ex-sócio de Richard Dennis, com quem treinou o grupo de consultores de commodities conhecido como As Tartarugas, explicou por que o trading é viciante: "Quando os psicólogos comportamentais fizeram uma comparação do grau viciante relativo de vários esquemas de reforço, concluíram que o reforço intermitente – aquele que é aleatoriamente positivo ou negativo (por exemplo, o rato de laboratório não sabe se vai sentir dor ou prazer ao apertar o botão) – é a alternativa mais viciante de todas, mais até que o reforço meramente positivo."

A SABEDORIA DA ESPERA

A paciência não é apenas essencial para entrar em um trade, mas também para sair dele. Citando uma vez mais *Reminiscências de um especulador financeiro*, "o que me rendia mais dinheiro nunca era meu raciocínio. Era sempre minha espera. Entendeu? Esperar sentado! Ter razão, no mercado, não tem nada de mais. Na alta, você sempre acha os investidores da alta, e na baixa, os investidores da baixa. Conheci muitos homens que tinham razão no momento preciso e... não ganharam dinheiro de verdade com isso. O que é raro são os homens que sabem esperar e acertam."

O tema que chamo de "a importância da espera" também aflorou em algumas das minhas entrevistas. Um defensor em especial desse conceito foi William Eckhardt, que citou "Quem lucra nunca quebra" como um dos ditados mais enganosos do trading. "É *exatamente* por isso que muitos traders acabam quebrando", disse Eckhardt. "Enquanto os amadores quebram porque sofrem perdas enormes, os profissionais quebram porque obtêm lucros pequenos." O problema, explica Eckhardt, é que a natureza humana busca maximizar a *probabilidade* de ganho, e não o ganho propriamente dito. Ele acredita que o desejo de maximizar o número de trades vencedores sabota o trader, ao incentivá-lo a liquidar prematuramente bons negócios. Na prática, a necessidade de certificar-se de que um trade vai terminar na coluna das vitórias leva os traders a deixar muito dinheiro na mesa, o que reduz fortemente o ganho total em nome de um aumento no percentual de vitórias – objetivo prejudicial e distorcido. Como diz Eckhardt: "A taxa de sucesso nos trades é a estatística de performance menos importante, e pode até estar inversamente relacionada à performance." O recado é: qualquer que seja sua metodologia ou o prazo dos seus trades, você precisa permitir que o bom trade chegue a um termo razoável de aproveitamento se quiser compensar os trades perdedores e ainda manter uma boa margem de lucro. Na definição sucinta de Marcus: "Quem não segura suas vitórias não vai conseguir pagar pelas derrotas."

Em suma, a paciência é uma qualidade crucial para um trader – tanto na hora de entrar quanto na hora de sair de um trade.

CAPÍTULO 14

Nada de lealdade

A lealdade é uma grande virtude – na família, nos amigos e nos pets. Para o trader, porém, é uma péssima característica: ser leal a uma opinião ou a uma posição pode resultar em desastre. O inverso da lealdade é a flexibilidade – a capacidade de mudar totalmente de opinião quando necessário. É a característica apontada por Michael Marcus, quando lhe perguntam o que o torna diferente dos demais traders. "Eu tenho a mente muito aberta", explica ele. "Estou disposto a aceitar informações difíceis do ponto de vista das emoções. (...) Quando o mercado se movimenta ao contrário das minhas expectativas, sempre sou capaz de dizer: 'Tinha esperança de ganhar muito dinheiro nessa posição, mas não está dando certo, então vou sair.'"

"O MERCADO ME DIZIA QUE EU ESTAVA ERRADO"

Em abril de 2009, na esteira do colapso financeiro do final de 2008 e do início de 2009, Colm O'Shea ainda estava muito pessimista em relação aos mercados, e devidamente posicionado. "Porém", conta O'Shea, "o mercado me dizia que eu estava errado." O'Shea descreveu seu processo mental da época: "A China está dando a virada, o preço dos metais começou a subir e o dólar australiano está se valorizando. O que isso quer dizer? Que está acontecendo uma recuperação em algum lugar do mundo (...) Portanto, não posso me aferrar a essa tese de que o mundo inteiro está uma droga. Que hipótese se encaixa aos acontecimentos reais? Na verdade, até que a Ásia está indo bem. Um cenário que faria sentido é uma recuperação liderada pela Ásia."

Ao reconhecer que seu ponto de vista básico principal estava equivocado, O'Shea deixou-o de lado. Aferrar-se à sua expectativa original em relação ao mercado teria sido catastrófico, já que tanto o mercado de *equities* quanto o de commodities haviam entrado em uma recuperação que duraria vários anos. Em vez disso, por ter a flexibilidade de admitir que sua visão de mundo estava errada e reverter seu viés, O'Shea teve um ano lucrativo, mesmo com uma avaliação inicial totalmente incorreta do mercado.

O'Shea cita George Soros como um modelo de flexibilidade. "É a pessoa com menos remorso que eu já conheci. (...) Ele não tem qualquer apego emocional a uma ideia. Quando o trade está errado, ele simplesmente corta, segue adiante e vai fazer outra coisa. Lembro-me de que uma vez ele estava com uma posição cambial gigante. Em um único dia, ganhou algo como 250 milhões de dólares. A imprensa publicou frases dele sobre aquela posição. Podia parecer que ele teve uma tremenda visão estratégica. Aí o mercado mudou de sentido, e a posição desapareceu totalmente. Sumiu."

JONES REVERTE O RUMO

Entrevistei Paul Tudor Jones em diferentes ocasiões num intervalo de mais ou menos quinze dias. Na primeira entrevista, Jones estava *bear* em relação à bolsa, e fortemente vendido em relação ao índice S&P 500. Na minha segunda visita, seu ponto de vista em relação à bolsa tinha sofrido uma mudança drástica. Como a bolsa não seguira a rota de desvalorização que Jones havia previsto, ele se convenceu de que estava errado. "Esse mercado está vendido", anunciou enfaticamente no nosso segundo encontro. Não apenas ele tinha abandonado totalmente sua posição vendida original, mas agora estava comprado, com base nas evidências de que sua trajetória original estava errada. Essa guinada de 180 graus, em um curto espaço de tempo, era um exemplo da extrema flexibilidade por trás do êxito de Jones no trading. E mostrou-se, de fato, com o *timing* exato, pois o mercado teve uma alta acentuada nas semanas seguintes.

PEGO DE SURPRESA

Em um momento no qual Michael Platt detinha uma enorme posição comprada em futuros da taxa de juros europeias, o Banco Central Europeu (BCE) elevou essas taxas de modo totalmente inesperado. Um golpe tremendo para a posição de Platt, que foi pego completamente desprevenido por aquela situação porque, no dia, estava voando de Londres para a África do Sul. Assim que o avião aterrissou, ele recebeu uma ligação urgente de um assessor, relatando o que tinha acontecido e pedindo instruções.

"Quanto perdemos?", perguntou Platt.

"Uns 70 ou 80 milhões", respondeu o assessor.

Platt avaliou que, se o BCE havia começado a elevar as taxas, era provável que as altas continuassem acontecendo. Previu que o prejuízo daquele trade poderia atingir 250 milhões se não agisse rapidamente. "Tira tudo!", ordenou.

> Quando estou errado, meu único instinto é de pular fora. Se estou pensando de um jeito e me dou conta de que era um completo equívoco, provavelmente não serei a única pessoa surpreendida. Então é melhor ser a primeira a vender. Não importa a que preço.
>
> MICHAEL PLATT

Ao comentar essa experiência, Platt afirmou: "Quando estou errado, meu único instinto é de pular fora. Se estou pensando de um jeito e me dou conta de que era um completo equívoco, provavelmente não serei a única pessoa surpreendida. Então é melhor ser a primeira a vender. Não importa a que preço."

COMO SOBREVIVER AO PIOR TRADE DA HISTÓRIA

Talvez o melhor exemplo de falta de apego a uma posição com que já me deparei seja o de Stanley Druckenmiller, cujo hedge fund Duquesne Capital Management alcançou um retorno médio anual em torno de 30% ao longo de 25 anos – certamente um dos melhores históricos de longo prazo de todos os tempos. Nossa história começa em 16 de outubro de 1987. Se você estiver com dificuldade de situar a relevância dessa data, vou dar uma dica – foi uma sexta-feira.

Na época, Druckenmiller geria vários fundos para a Dreyfus, além de seu próprio fundo na Duquesne. Em termos líquidos, Druckenmiller chegou vendido àquela sexta-feira. Muitos esquecem que o *crash* de 19 de outubro de 1987 não foi um acontecimento repentino que se materializou do nada. Antes daquele dia, na verdade, o mercado estava no meio de uma desvalorização de quase 20% iniciada dois meses antes, sendo que nove pontos desse declínio haviam ocorrido somente na semana anterior. Na tarde da sexta-feira, 16 de outubro de 1987, Druckenmiller tinha concluído que o mercado já tinha caído bastante, aproximando-se do que, na visão dele, seria uma zona de estabilidade. Por isso, ele cobriu sua posição vendida. Lance errado, não é? Bem, na verdade foi muito pior que isso. Não apenas ele cobriu sua posição vendida, mas em termos líquidos ficou comprado – bastante comprado. Naquele dia, concretamente, Druckenmiller passou de vendido líquido a 130% comprado (isto é, uma posição comprada alavancada).

Antigamente, quando eu contava esse episódio em palestras, costumava perguntar à plateia se alguém já tinha cometido erro de trading pior que esse. Parei de fazer essa pergunta porque me dei conta de que ninguém consegue nem conceber um trading pior que passar de uma posição líquida vendida de *equities* para uma posição comprada alavancada na sexta-feira, 16 de outubro de 1987.

Apesar desse erro de enormes proporções, se você der uma olhada no retrospecto de Druckenmiller, outubro de 1987 aparece, incrivelmente, como um mês de perda apenas moderada. Como isso é possível? Bem, em primeiro lugar, durante a primeira metade do mês, Druckenmiller estava vendido; logo, ganhou dinheiro. Mas o principal vem agora: entre o fechamento de sexta e a abertura de segunda, Druckenmiller concluiu que havia cometido um terrível engano. O motivo, aqui, pouco importa. Se estiver curioso para saber, as razões estão detalhadas na íntegra em *The new market wizards*. O que importa saber é que Druckenmiller se deu conta de que tinha cometido um erro grave ao ficar pesadamente comprado e decidiu sair da posição na manhã de segunda. O único problema desse plano foi que o mercado abriu muitíssimo mais baixo na manhã de segunda. O que Druckenmiller fez, então? Cobriu inteiramente sua posição recém-comprada na primeira hora de trading na segunda. Não apenas cobriu a posição comprada como ficou vendido de novo, em termos líquidos! Pense na impressionante falta de apego a uma posição que é preciso ter para revertê-la e, então, revertê-la novamente no dia útil seguinte, depois que o mercado caminhou fortemente na direção contrária à posição que se acabou de reverter.

Bons traders liquidam suas posições quando acreditam ter se enganado; ótimos traders revertem suas posições quando acreditam ter se enganado.

Bons traders liquidam suas posições quando acreditam ter se enganado; ótimos traders revertem suas posições quando acreditam ter se enganado. Se quiser ter sucesso como trader, não tenha lealdade à sua posição.

UMA IDEIA RUIM, TRANSFORMADA

A flexibilidade, ou ausência de lealdade, também se aplica à entrada em um trade, como ilustra o caso do maior *short* trade de Jamie Mai em 2011. Jamie Mai é o gerente de portfólio da Cornwall Capital, um hedge fund com robustos números de retorno sobre risco, e um dos maiores vencedores do lado vendido das *subprime securities* garantidas por hipotecas, cujo perfil foi publicado pela primeira vez no excelente livro de Michael Lewis, *O jogo da mentira*. Foi o livro de Lewis, na verdade, que me chamou a atenção para Mai e me levou a entrevistá-lo.

Em 2011, Mai percebeu que a China, que era ao mesmo tempo o maior produtor e o maior consumidor mundial de carvão, tinha se transformado de exportador líquido em importador líquido, e que essa tendência vinha se acelerando. Levou uma década até que as exportações chinesas de carvão caíssem de 100 milhões de toneladas para zero, mas apenas dois anos para que as importações crescessem uma vez e meia a mais. A impressão inicial de Mai era de que esse crescimento enorme e incessante das importações chinesas de carvão levaria a um aumento acentuado da demanda por frete a granel. Além disso, os cargueiros de transporte a granel vinham passando por uma baixa dos múltiplos de fluxo de caixa. Ficar comprado nessas ações parecia o trade perfeito. Mas Mai, cuja experiência vinha do *private equity*, só opera com muito embasamento; cada ideia de trade precisa ser minuciosamente analisada antes da implementação. Quanto mais Mai pesquisava, mais se dava conta de que o frete cada vez mais caro, motivado pelo aumento da demanda por commodities nas economias emergentes, levara a um *boom* da construção naval vários anos antes, e que agora aqueles cargueiros estavam começando a navegar, levando a um aumento anual da capacidade das frotas em torno de 20%. Mai concluiu que, mesmo com as expectativas mais otimistas em relação à demanda chinesa por cargueiros, ainda assim viria a ocorrer um excesso de capacidade de transporte a granel. Por isso, ironicamente, embora tivesse começado com a ideia de ficar comprado em cargueiros a granel, ele acabou fazendo o contrário, ficando vendido, por meio de posições compradas *"fora do dinheiro"* – o *short* trade de maior convicção da empresa naquele ano.

NÃO ESPALHE SUAS DECISÕES DE MERCADO

Como comentário à parte, tenha muita cautela ao trombetear suas previsões sobre para onde o mercado vai. Por quê? Porque quando você anuncia para onde você acha que o mercado vai, supostamente para impressionar os outros com sua clarividência, a tendência é que você fique comprometido com aquela previsão. Quando a evolução do preço da ação e a realidade do mercado parecem desdizer o que você profetizou, sua relutância em mudar de opinião acabará sendo maior do que normalmente seria. Você vai ficar procurando todo tipo de argumento para justificar o acerto de sua previsão original. Paul Tudor Jones tem plena consciência do perigo de deixar falas anteriores sobre o mercado afetarem seu trading. Ele abordou especificamente essa questão: "Evito deixar que minhas opiniões sobre trading sejam influenciadas por comentários meus sobre o mercado que tenham sido publicados anteriormente."

Em seus primeiros anos de trading, Ed Seykota caiu na armadilha de divulgar suas opiniões. Contou a vários amigos que esperava uma alta contínua do preço da prata. Então, quando a prata começou, ao contrário, a cair, continuou ignorando todos os sinais do mercado de que ele estava errado, dizendo a si mesmo que era apenas uma correção temporária. "Eu não suportava estar errado", disse Seykota, ao relembrar esse episódio. Ele foi salvo pelo próprio subconsciente. Não parava de ter sonhos em que um enorme avião prateado começava a cair, rumo a espatifar-se inevitavelmente. Seykota captou a mensagem. "Acabei abandonando minha posição em prata", disse. "Fiquei até vendido, e os sonhos pararam."

CAPÍTULO 15

Tamanho é documento

A IMPORTÂNCIA DO TAMANHO DA APOSTA

O retrospecto de Edward Thorp destaca-se, certamente, como um dos melhores de todos os tempos. Seu fundo original, o Princeton Newport Partners, atingiu um retorno bruto anualizado de 19,1% (15,1% após taxas) num período de 19 anos. Ainda mais impressionante foi a extraordinária consistência desse retorno: 227 de 230 meses foram de lucro e o mês de pior perda foi de menos de 1%. Um segundo fundo, o Ridgeline Partners, teve uma média anual de 21% ao longo de dez anos, com uma volatilidade anualizada de apenas 7%.

Muito antes de se interessar pelos mercados, Edward Thorp era um professor de matemática que se especializou em bolar métodos para ganhar nos diversos jogos de cassino – objetivo considerado quase unanimemente impossível. Afinal de contas, como seria possível que alguém criasse uma estratégia vencedora em jogos feitos para o apostador ter desvantagem? Um professor de matemática talvez fosse a última pessoa do mundo a dedicar tempo a uma meta aparentemente tão inglória. Thorp, no entanto, abordou a questão de maneira totalmente fora do convencional. Por exemplo, na roleta, ele, junto com Claude Shannon (conhecido como "o pai da teoria da informação"), criou um computador miniaturizado que usava a física newtoniana para prever em que buraco da roleta era mais provável que a bolinha caísse.

> Em uma analogia com o *blackjack*, fazer trades maiores quando a probabilidade de ganho for mais alta, e trades menores, ou nenhum, se a probabilidade for mais baixa, pode até transformar uma estratégia perdedora em vencedora.

No *blackjack*, a sacada de Thorp foi que, ao apostar mais em mãos de maior probabilidade do que em mãos de baixa probabilidade, era possível transformar um jogo de viés negativo em um de viés positivo. Essa ideia teve uma importante ramificação no trading: variar o tamanho da posição pode melhorar a performance. Em uma analogia com o *blackjack*, fazer trades maiores quando a probabilidade de ganho for mais alta, e trades menores, ou nenhum, se a probabilidade for mais baixa, pode até transformar uma estratégia perdedora em vencedora. Embora não seja possível determinar as probabilidades no trading com a mesma precisão do *blackjack*, em muitos casos os traders conseguem distinguir trades de alta e de baixa probabilidade. Por exemplo, quando um trader se sai melhor em trades de alta confiança, o grau de confiança pode servir como indicador da probabilidade de êxito. A conclusão é que, em vez de arriscar quantias iguais em cada trade, pode-se alocar um risco maior naqueles de alta confiança e menor nos de baixa confiança.

Michael Marcus mencionou especificamente a variação do tamanho da posição como elemento crucial de seu êxito. Ele percebeu que se saía muito melhor quando as informações básicas, o padrão dos gráficos e o humor do mercado (a forma como o mercado reagia às notícias) eram, todos, favoráveis ao trade. Marcus se deu conta de que provavelmente teria resultados superiores se limitasse seu trading apenas àquelas operações que atendiam essas três condições. No entanto, não é toda hora que esse tipo de oportunidade aparece, e, como ele próprio admite, "gostava demais do jogo" para ficar esperando pacientemente apenas por situações assim. "Eu colocava a diversão à frente de meus próprios critérios", afirmou, reconhecendo que esses trades não ideais podem ter sido prejudiciais no balanço final. "No entanto, o que me salvou", conta, "foi que, quando um trade preenchia todos os meus critérios, eu entrava com uma posição cinco a seis vezes maior em relação a outros trades."

O PERIGO DO TAMANHO

Nos primeiros anos de Paul Tudor Jones no mercado, quando ainda era corretor, ele vivenciou o trade mais arrasador de sua carreira. Na época, Jones geria contas especulativas no mercado de algodão. Os contratos de vencimento próximo de julho estavam numa faixa de trading, e Jones tinha montado uma posição comprada de 400 contratos para suas contas. Certo dia, ele estava no pregão quando o algodão de julho caiu abaixo do limite inferior da faixa de trading, mas logo em seguida se recuperou. Jones achou que, quando fossem retirados os *stops* abaixo da faixa, o mercado reagiria. Em uma ação temerária, ordenou que seu corretor do pregão aumentasse a oferta por 100 contratos – na época, uma ordem bastante alta.

Logo em seguida, o corretor do fundo que detinha mais ações de algodão entregável gritou: "Vendido!" Jones se deu conta na mesma hora de que aquela corretora pretendia negociar suas ações contra o contrato de julho detido por ele, e que o *prêmio* de 400 pontos no preço do contrato seguinte (outubro) ia evaporar rapidamente. Foi nessa hora que ele soube que estava do lado errado do mercado; então, instruiu seu corretor a vender o máximo que pudesse. O mercado desabou e em 60 segundos foi paralisado no limite inferior. Só deu tempo de liquidar menos de metade de sua posição.

Na manhã seguinte, o mercado foi novamente paralisado no limite inferior, antes que Jones conseguisse liquidar integralmente o que restava de sua posição. Por fim, no outro dia, ele conseguiu sair do restante da posição, vendendo até alguns contratos 400 pontos abaixo do valor de mercado em que soube que precisava sair.

Jones conta que seu problema não foi o número de pontos perdidos no trade, e sim o fato de estar operando com um excesso de contratos em relação à conta que geria. Suas contas perderam cerca de 60% a 70% só nesse trade! Relembrando essa experiência dolorosa, ele disse: "Fiquei totalmente desmoralizado. Falei: 'Não nasci para esse negócio; acho que não vou aguentar mais por muito tempo.' Fiquei tão deprimido que quase larguei tudo (...) Foi nessa hora que eu disse: 'Seu idiota, por que arriscar tudo em um só trade? Por que não transformar sua vida na busca da felicidade, em vez da dor?'"

Esse trade tão traumatizante transformou Jones. Seu foco passou a ser o que ele poderia perder com um trade, e não o que poderia ganhar. Ele se tornou um profissional muito mais defensivo. Nunca mais assumiria um risco alto em um único trade.

O *overtrading* também foi tão decisivo em um trade desastroso de Bruce Kovner que em um único dia ele perdeu metade do lucro que havia acumulado. Esse trade, detalhado no Capítulo 17, incutiu nele o viés de manter posições menores. Kovner acredita que a maioria dos traders novatos faz trades demais. Seu conselho é: "Menos trade, menos trade, menos trade (...) Seja qual for a posição que você considera ideal, corte-a pela metade, pelo menos. Minha experiência com iniciantes é que seus trades são pelo menos cinco vezes maiores do que deveriam. Assumem riscos de 5% a 10% em trades nos quais deveriam estar assumindo riscos de 1% a 2%."

Em nossa entrevista, Kovner comentou que havia tentado realizar um treinamento com cerca de trinta traders, mas somente cinco se tornaram bons. Perguntei-lhe se havia alguma característica distinta entre a maioria malsucedida e a minoria bem-sucedida. Uma das diferenças cruciais que Kovner ressaltou foi que os traders de sucesso eram disciplinados na medição correta de suas posições. "Traders gananciosos sempre implodem", disse.

Quanto maior a posição, maior o perigo de que as decisões de trading sejam motivadas por medo, e não pelo bom senso e pela experiência.

Quanto maior a posição, maior o perigo de que as decisões de trading sejam motivadas por medo, e não pelo bom senso e pela experiência. Steve Clark, gerente de portfólio do Omni Global Fund,[1] sediado em Londres, cuja estratégia tem histórico robusto de retorno sobre risco, disse que é preciso operar dentro de sua "capacidade emocional". Do contrário, fica-se propenso a sair de bons trades durante correções irrelevantes e de perder dinheiro em outros que teriam sido vencedores. Segundo Clark, um jeito garantido de saber que a própria posição é grande demais é quando você acorda preocupado com ela.

Howard Seidler, um dos traders de melhor performance do grupo treinado por Richard Dennis e William Eckhardt, popularmente conhecido como As Tartarugas, aprendeu logo no início de sua carreira no trading sobre os riscos de operar acima da própria "capacidade emocional". Depois de assumir uma posição vendida, o mercado começou a caminhar na direção dele; por isso, decidiu duplicar sua posição. Logo em seguida, o mercado começou a recuar. Não foi uma movimentação grande, mas, como a posição dele havia dobrado, Seidler ficou tão preocupado com o prejuízo que liquidou não apenas a posição extra, mas a original também. Dois dias depois, o mercado entrou em colapso, como ele tinha previsto inicialmente. Se Seidler tivesse mantido sua posição original, teria obtido enorme lucro na operação; porém, como sua posição era grande demais, ele exagerou na reação, perdendo totalmente a oportunidade de lucro. Comentando essa experiência, Seidler afirmou: "É absolutamente necessário aprender certas lições para se tornar um trader de sucesso. Uma delas é que não dá para ganhar quando você opera com um nível de alavancagem que o deixa com medo do mercado."

Marty Schwartz alerta os traders contra um aumento rápido demais das posições quando se começa a ganhar dinheiro. "A maioria das pessoas comete o erro de aumentar a aposta assim que começa a ganhar dinheiro", disse. "Esse é um jeito rápido de sofrer uma limpa." Ele aconselha esperar até, no mínimo, duplicar o capital antes de começar a aumentar os trades.

PISANDO NO ACELERADOR

Embora trades grandes demais sejam uma das maiores razões de sua derrocada, há momentos em que são justificáveis, e até desejáveis. Stanley Druckenmiller conta que uma das lições mais importantes que aprendeu com George Soros foi que "o importante não é se você tem razão ou não, e sim quanto dinheiro você ganha quando tem razão e quanto dinheiro perde quando não tem". Ele afirmou que as poucas críticas que ouviu de Soros vieram quando ele tinha razão em relação ao mercado, mas não "maximizou a oportunidade". Como exemplo, citou um episódio ocorrido pouco depois de começar a trabalhar para o megainvestidor. Na época, Druckenmiller estava bastante pessimista em relação ao dólar contra o marco alemão, e entrou numa posição que ele acreditava ser grande. A posição passou a funcionar em seu favor, e Druckenmiller ficou bastante orgulhoso de si mesmo. Soros entrou na sala e começou a conversar sobre o trade.

"Qual o tamanho da sua posição?", perguntou Soros.

"Um bilhão de dólares", respondeu Druckenmiller.

"Você chama isso de posição?", disse Soros, com desdém. Soros incentivou Druckenmiller a duplicar a posição, o que ele fez, e o trade ficou ainda mais drasticamente a favor dele.

Druckenmiller diz que Soros lhe ensinou que "quando você tem uma tremenda convicção em um trade, tem que ir na jugular. É preciso coragem para ser arrogante".

Embora na época Druckenmiller ainda não trabalhasse para Soros, ele soube do que aconteceu na empresa na esteira do Acordo de Plaza, em 1985. Naquela ocasião, Estados Unidos, Reino Unido, Alemanha Ocidental, França e Japão se reuniram e concordaram com uma política unificada de depreciação do dólar em relação a outras moedas. Na época do encontro, Soros estava fortemente comprado em ienes, e outros traders da empresa também tinham embarcado nessa posição. Na manhã da segunda-feira seguinte à assinatura do acordo, o iene abriu 800 pontos mais alto. Os traders da Soros Management mal acreditavam no tamanho da bênção repentina e começaram a realizar os lucros. Soros entrou bufando pela porta, mandando-os parar de vender ienes e dizendo que assumiria as posições deles. Druckenmiller aprendeu uma lição desse episódio. "Enquanto todos os outros traders estavam parabenizando uns aos outros por ter obtido o maior lucro de suas vidas, Soros estava enxergando mais longe. O governo tinha acabado de avisar que o dólar ia cair o ano inteiro; então por que não ser arrogante e comprar ainda mais [ienes]?"

É preciso ter cuidado com a lição a extrair deste capítulo. A ideia não é que o trader deve estar disposto a assumir trades grandes e agressivos, e sim que ele deve estar disposto a assumir trades maiores *quando tem fortíssima convicção.*

VOLATILIDADE E TAMANHO DO TRADE

Muitos traders mantêm a posição no mesmo tamanho sob diferentes condições de mercado. No entanto, se desejam manter o risco mais ou menos estável ao longo do tempo, é preciso ajustar o tamanho da posição a alterações relevantes da volatilidade do mercado. Colm O'Shea lembra que em 2008 ele cruzava com gestores que lhe diziam ter cortado o risco pela metade. O'Shea falava: "Metade! Isso é muito." Os gestores continuavam, então, dizendo: "É, minha alavancagem era quatro, e agora é dois." O'Shea respondia: "Você reparou que a volatilidade multiplicou por cinco?" Os gestores achavam que estavam reduzindo o risco, mas em termos ajustados para a volatilidade, na verdade esse risco tinha aumentado.

CORRELAÇÃO E TAMANHO DO TRADE

Posições diferentes não são independentes, como caras ou coroas separadas. Embora possam ser às vezes, em algumas situações podem ter uma correlação significativa. Quando é assim, a probabilidade de um prejuízo de determinada magnitude em um portfólio aumenta, pois haverá uma tendência de prejuízos simultâneos nas diversas posições. Para levar em conta esse risco aumentado, o tamanho da posição deve ser reduzido quando há uma correlação positiva em diferentes posições.

Depois de uma longa carreira operando com diversas estratégias de arbitragem, Edward Thorp desenvolveu e negociou um sistema de acompanhamento de tendências. Quando perguntei a ele como havia obtido um desempenho de retorno sobre risco significativamente superior ao de outros traders que monitoravam tendências, ele atribuiu a melhora, em parte, à adoção de uma estratégia de redução de risco baseada em correlações. Thorp descreveu assim o processo: "Negociamos uma matriz de correlação que era usada para reduzir a exposição em mercados correlatos. Quando dois mercados tinham uma correlação alta e o sistema técnico ficava comprado em um e vendido no outro, isso funcionava muito bem. Mas quando queríamos ficar vendidos em ambos e comprados em ambos, assumíamos posições menores nos dois."

CAPÍTULO 16

Como fazer aquilo que é incômodo

O MACACO TRADER

William Eckhardt acredita que a tendência natural do ser humano de buscar o conforto leva as pessoas a tomar decisões em trading piores que as aleatórias. Sejamos claros. Provavelmente você já ouviu a famosa frase de Burton Malkiel: "Um macaco com uma venda nos olhos que atirasse dardos na página de cotações do jornal escolheria um portfólio tão bom quanto um expert que fizesse uma seleção cuidadosa." Ou alguma variação sobre esse tema, constantemente articulada por aqueles que querem fazer uma crítica à suposta loucura de tentar derrotar o mercado. Não é isso que Eckhardt está dizendo. Ele não quer dizer que um macaco se sairia tão bem quanto gestores financeiros profissionais. Ele está dizendo que o macaco se sairia *melhor*.

> Muitas vezes aquilo que lhe dá uma boa sensação é o que não deve ser feito.
>
> WILLIAM ECKHARDT

Ora, por que o macaco se sairia melhor? Porque o ser humano evoluiu para a busca do conforto, e no mercado o conforto não vale a pena. No mercado, a busca do conforto significa fazer aquilo que é emocionalmente satisfatório. Eckhardt afirma: "Muitas vezes aquilo que lhe dá uma boa sensação é o que não deve ser feito." Ele cita seu antigo sócio de trading, Richard Dennis, que costumava dizer: "Se a sensação for boa, não faça."

Como exemplo de fazer no mercado aquilo que dá uma sensação boa, Eckhardt cita o que ele batizou de "O apelo da contracorrente". Comprar na baixa e vender na alta agrada a um desejo natural do ser humano. Se você compra uma ação porque ela atingiu o ponto mais baixo em seis meses, a sensação é boa porque você foi mais esperto que todos os outros que compraram aquela ação nos seis meses anteriores. Embora a sensação desse tipo de trade seja boa no momento em que ele é realizado, para a maioria das pessoas seguir esse método contra a corrente será uma estratégia perdedora, e possivelmente até desastrosa.

A título de exemplo adicional, Eckhardt explica que, como a maioria dos lucros pequenos tende a desaparecer, acaba-se aprendendo a lição de que é preciso embolsá-los assim que possível, o que pode ser reconfortante, mas é prejudicial no longo prazo, porque também embota a capacidade de obter um lucro elevado em qualquer trade. Como terceiro exemplo, Eckhardt afirma que a tendência dos mercados de operar repetidas vezes nos mesmos valores leva as pessoas a se aferrar a trades ruins, na esperança de que, se esperarem tempo suficiente, o mercado retornará ao ponto de entrada.

Em todos esses casos, o ato que produz uma sensação boa – conseguir uma pechincha, assegurar um lucro, esperar na esperança de evitar um prejuízo – costuma ser a coisa errada a fazer. A necessidade de satisfação emocional levará a maioria das pessoas a tomar decisões piores até que as aleatórias, e é por isso que o macaco atirador de dardos se sairá melhor.

Para demonstrar empiricamente como o viés da maioria das pessoas as leva a tomar decisões piores que as aleatórias, Eckhardt contou-me a história de como um dos funcionários de Richard Dennis entrou em um concurso de previsões para acertar o preço de fim de ano de diversos mercados. Esse funcionário simplesmente usou o valor corrente de todos os mercados em suas previsões. Terminou entre os cinco melhores de centenas de participantes. Em outras palavras, pelo menos 95%, e provavelmente um número mais próximo de 99%, de todos os concorrentes foram piores que os aleatórios.

UMA EXPERIÊNCIA INVOLUNTÁRIA

Em seu livro *A Fórmula Mágica para bater o mercado de ações*, Joel Greenblatt apresenta um indicador baseado em valor para ranquear ações. O nome, Fórmula Mágica, é uma brincadeira com o alarde que costuma acompanhar os indicadores de mercado, mas também é uma referência à surpreendente eficácia dessa medição. Na verdade, Greenblatt e seu sócio de trading, Rob Goldstein, ficaram tão impressionados com o bom funcionamento da Fórmula Mágica que criaram um site com o mesmo nome, para que os investidores escolhessem suas próprias ações a partir de uma lista reduzida de títulos selecionados com base nos valores da fórmula. Os investidores foram incentivados a escolher de vinte a trinta ações da lista, para ficar mais perto do desempenho médio, em oposição à dependência excessiva de um número pequeno. Na última hora, incluíram um formulário que dava ao investidor a opção de contratar um gestor para sua conta, em vez de decidir por conta própria. Ao final, menos de 10% daqueles que usaram o site para investir fizeram sua própria escolha – o conceito original. A maioria esmagadora optou pela opção do portfólio gerenciado.

Greenblatt passou, então, a monitorar como o portfólio autogerido se saía, em comparação com os portfólios de gestores. Em média, depois de dois anos, os portfólios com gestor superaram os autogeridos em 25%, *até mesmo quando ambos eram constituídos pela mesma lista de ações*. A diferença entre os portfólios com gestor e sem gestor refletia o impacto da seleção humana e o *timing* das decisões. Deixar o investidor tomar decisões sozinho (escolhendo ações específicas da lista e o momento de compra e venda dessas ações) estragava o desempenho, em comparação com o investimento da mesma quantia em dólares em um portfólio diversificado de ações sem qualquer tentativa de escolher o momento de entrada e saída.

> [Os investidores] tiveram desempenho bem pior que o mero acaso na escolha de ações de nossa lista pré-selecionada, provavelmente porque, ao evitar papéis particularmente arriscados, deixaram passar alguns dos mais vencedores.
>
> JOEL GREENBLATT

Perguntei a Greenblatt por que, em sua opinião, os investidores que tomaram as próprias decisões foram tão pior. Greenblatt respondeu: "Eles reduziam a exposição quando o mercado caía. Tinham tendência a vender quando uma ação específica ou o portfólio como um todo desempenhava mal. Tiveram desempenho bem pior que o mero acaso na escolha de ações de nossa lista pré-selecionada, provavelmente porque, ao evitar papéis particularmente arriscados, deixaram passar alguns dos mais vencedores." Pense nisso. Não soa como decisões tomadas em busca de conforto?

Sem querer, Greenblatt tinha criado uma experiência de grupo de controle, demonstrando o impacto das decisões humanas no mercado diante de um critério bem definido – um portfólio diversificado, constituído pela mesma lista de ações, sem qualquer seleção ou instrução de *timing*. O investidor teria alcançado o mesmo retorno esperado (com algumas variações conforme a amostra) se tivesse escolhido *aleatoriamente* suas ações, investindo quantias *iguais em dólares* em cada uma delas, e aplicando o mesmo método de compra e venda *isento de timing*. Ou, dito de outra forma, o mesmo retorno esperado poderia ter sido alcançado com um portfólio escolhido por um macaco lançando dardos numa lista pré-selecionada de ações. A experiência involuntária de Greenblatt proporcionou, na prática, uma validação na vida real para a tese de Eckhardt, de que o macaco hipotético superaria seres humanos tomando por conta própria decisões a respeito de investimento.

A ECONOMIA COMPORTAMENTAL E O TRADING

Eckhardt atribui aos vieses humanos a tendência da maioria dos participantes do mercado a perder. Nas palavras dele, "existe uma tendência geral e persistente dos títulos de fluírem de muitos para poucos. No longo prazo, a maioria perde. A conclusão, para o trader, é que, para ganhar, você precisa agir como a minoria. Se aplicar ao trading os hábitos e as tendências normais do ser humano, vai gravitar rumo à maioria e invariavelmente perder."

Essas observações de Eckhardt estão em sintonia com as conclusões dos economistas comportamentais, cujas pesquisas demonstraram que tomar decisões de investimento irracionais é inerente às pessoas. Em uma experiência clássica realizada por Daniel Kahneman e Amos Tversky, pioneiros no campo da teoria prospectiva, os participantes de uma pesquisa tiveram que escolher, hipoteticamente, entre um lucro garantido de 3 mil dólares ou uma chance de 80% de um lucro de 4 mil, com 20% de não ganhar nada.[1] A imensa maioria preferiu o lucro garantido de 3 mil, embora a outra alternativa representasse uma expectativa de ganho maior (0,80 x 4 mil dólares = 3.200 dólares). Em seguida, os pesquisadores inverteram a pergunta e deram às pessoas a opção entre um prejuízo garantido de 3 mil contra uma probabilidade de 80% de perder 4 mil, com 20% de não perder nada. Nesse caso, a imensa maioria optou por apostar e pegar a chance de 80% de perder 4 mil, embora a expectativa de perda fosse de 3.200. Em ambos os casos, as pessoas tomaram decisões irracionais porque selecionaram a alternativa com menor expectativa de ganho ou maior expectativa de perda. Por quê? Porque essa experiência reflete uma distorção do comportamento humano em relação a riscos e ganhos: as pessoas têm aversão a risco quando se trata de ganhos, mas correm riscos quando se trata de evitar uma perda. Essa distorção comportamental tem forte relação com o trading, pois explica por que as pessoas tendem a não mexer enquanto dá prejuízo e a cortar precocemente os lucros. Portanto, o antigo (mas nem de longe ultrapassado como conselho) clichê "não mexa enquanto estiver dando lucro e encerre assim que der prejuízo" é, na verdade, exatamente o contrário daquilo que a maioria das pessoas tende a fazer.²

QUANDO AS EMOÇÕES AFETAM ATÉ O TRADING INFORMATIZADO

É interessante notar que a necessidade do conforto emocional terá um impacto negativo até mesmo sobre o trading sistemático (isto é, o trading informatizado, baseado em regras), uma área que se poderia supor isenta de decisões com raiz emocional. Em geral, quando analisam o trading sistemático, as pessoas testam as regras do sistema e acabam descobrindo diversas situações anteriores em que segui-las teria levado a desvalorizações bastante incômodas dos ativos. Essa observação se verifica até mesmo em sistemas que no longo prazo são lucrativos. O instinto natural é rever as regras do sistema, ou acrescentar outras para minimizar esses períodos de performance ruim do passado. É um processo que pode ser repetido múltiplas vezes, tornando mais e mais suave, a cada repetição, a curva simulada dos títulos. Na prática, a tendência natural é otimizar as regras de acordo com o comportamento dos preços no passado. O sistema geral resultante, otimizado, gera uma curva de ativos que parece uma máquina de ganhar dinheiro. Esse tipo de sistema altamente otimizado fica muito mais confortável para o trade porque, afinal de contas, veja só como ele teria dado certo no passado.

A ironia, porém, é que quanto mais um sistema foi otimizado para aprimorar sua performance no passado, menos provável será ele ter um bom desempenho no futuro. O problema é que os impressionantes resultados simulados do sistema são obtidos com o conhecimento posterior dos preços do passado. Os preços do futuro serão diferentes. Por isso, quanto mais as regras do sistema forem adaptadas de acordo com os preços históricos, é menos provável que ele funcione com os preços futuros. Uma vez mais, o instinto humano de busca do conforto emocional tem consequências negativas sobre o trading – até mesmo o trading informatizado!

CONCLUSÃO

A lição deste capítulo é que a maioria das pessoas perde dinheiro no trading não apenas porque lhes falta habilidade (isto é, elas não possuem uma vantagem), mas também porque sua tendência a tomar decisões confortáveis de trading (ou de investimento) acaba na prática levando a resultados piores que o mero acaso. No trading, ter consciência desse defeito inerente ao ser humano é o primeiro passo para resistir à tentação de tomar decisões que geram sensações agradáveis, mas que, no fim das contas, são equivocadas.

CAPÍTULO 17

As emoções e o trading

A escalada *free solo* é um esporte quase inacreditável. O praticante não usa qualquer equipamento de proteção em suas subidas. Imagine um alpinista sem cordas a 700 metros de altura numa parede de pedra totalmente vertical e você terá uma noção. Qualquer erro é potencialmente fatal. Se você imagina que esse esporte seja uma fonte inesgotável de adrenalina, está enganado.

Alex Honnold é unanimemente reconhecido como o melhor escalador *free solo* do mundo. Seus feitos extraordinários incluem a primeira subida livre da face noroeste do Half Dome, uma parede vertical de 700 metros no Parque Nacional Yosemite, nos Estados Unidos. Ele foi o personagem de um bloco do programa *60 Minutes*, da TV americana, em 10 de outubro de 2011.

Em determinado momento, a jornalista Lara Logan perguntou a Honnold: "Você chega a sentir a adrenalina?"

> Se eu sentir um pico, quer dizer que algo deu terrivelmente errado.
>
> ALEX HONNOLD

Honnold respondeu: "Não tem pico de adrenalina. (...) Se eu sentir um pico, quer dizer que algo deu terrivelmente errado. (...) Todo o processo tem que ser bastante lento e controlado."

São palavras que poderiam muito bem valer para um trader especializado. A ideia hollywoodiana do trading como uma missão cheia de adrenalina, em que se correm riscos elevados, rende imagens incríveis, mas não tem nada a ver com o trading bem-sucedido.

O TESÃO QUE CUSTA CARO

Certa vez, Larry Hite estava jogando tênis com um amigo que perdeu tudo negociando futuros. O amigo não entendia como Larry podia simplesmente seguir um sistema informatizado.

"Larry", perguntou, "como é que você opera desse jeito? Não é chato?"

"Eu não opero pelo tesão. Opero para ganhar", respondeu Hite.

Charles Faulkner, que usou suas pesquisas sobre modelos de excelência humana no treinamento de traders, contou-me que um de seus primeiros clientes era um trader muito emotivo. Esse cliente havia desenvolvido um sistema bem-sucedido, mas era incapaz de segui-lo. Faulkner ensinou-lhe algumas técnicas para se desapegar emocionalmente dos mercados. No início, essas técnicas deram certo, e o trader conseguiu lucrar enquanto obedeceu ao sistema. Um dia, quando Faulkner estava trabalhando com ele, o trader teve um ganho de 7 mil dólares nas primeiras horas. No momento em que Faulkner começou a se orgulhar do aparente sucesso ajudando o cliente, o trader virou-se para ele e disse, em tom monocórdio: "Que coisa chata." Acabaria por perder tudo. "Ele sabia como entrar em um estado de desapego emocional, só que não gostava", disse Faulkner. A lição é que o mercado é um lugar onde a busca do tesão sai cara.

QUEM PRECISA VENCER NÃO CONSEGUE VENCER

Quando Stanley Druckenmiller abriu sua empresa de gestão financeira, a Duquesne Capital Management, em 1981, sua fonte de dinheiro era um contrato de consultoria para a Drysdale Securities, que lhe rendia 10 mil dólares por mês e do qual dependia totalmente. Em maio de 1982, a Drysdale Securities quebrou de uma hora para outra. Em consequência, Druckenmiller teve um problema de fluxo de caixa. Seus 7 milhões em ativos gerenciados, na época, lhe valiam 70 mil anuais em comissões, mas ainda assim ele estava 180 mil no vermelho. O capital disponível da corretora era de apenas 50 mil dólares. Sem a receita da consultoria para a Drysdale, a sobrevivência de sua gestora estava ameaçada.

Na época, Druckenmiller estava totalmente convencido de que a taxa de juros, que recuara do valor recorde atingido um ano antes, continuaria caindo. Então pegou os 50 mil da firma e usou-os na íntegra como margem em uma posição bastante alavancada em futuros de títulos do Tesouro.[1] Literalmente, ele apostou a empresa naquele trade. Em quatro dias, Druckenmiller perdeu tudo, quando as taxas de juros começaram a subir. O irônico é que, apenas uma semana depois, as taxas atingiram o ponto mais alto daquele ciclo e nunca mais se aproximaram daquele nível. Druckenmiller tinha comprado futuros do Tesouro uma semana depois de uma forte queda – difícil entrar numa posição com um *timing* melhor que esse – e, mesmo assim, perdeu todo o seu dinheiro. A análise de Druckenmiller estava absolutamente certa, mas a emotividade por trás do trade – o excesso de alavancagem e a falta de planejamento na tentativa de dar uma cartada que salvasse sua empresa – condenou-o ao fracasso. O mercado raramente premia a temeridade de trades oriundos do desespero.

TRADES IMPULSIVOS

Trades impulsivos podem ser perigosos. Quando perguntam aos magos do mercado quais foram seus trades mais dolorosos, muitos citam trades impulsivos como exemplos.

O trade que Bruce Kovner considera "de muito longe" seu mais sofrido e, psicologicamente, o trade "do fim do mundo" resultou de uma decisão por impulso. Bem no começo de sua carreira de trader, em 1977, houve um período de escassez de soja. Considerando os estoques diminutos e a demanda que continuava robusta, Kovner previu que os temores se estenderiam até que uma nova safra estivesse disponível. Para lucrar com a situação, adquiriu uma posição de *spread* altamente alavancada, ficando comprado no contrato de julho da safra anterior e vendido no contrato de novembro da safra seguinte. Sua expectativa era que a escassez faria o contrato de julho subir com muito mais força que o contrato da nova safra de novembro. A projeção de Kovner não apenas estava certa, mas espetacularmente certa. Em determinado momento, o mercado deu início a uma série de movimentações no limite superior, lideradas pelos contratos da safra antiga. Os lucros de Kovner dispararam.

Certa manhã, quando o mercado atingiu novo recorde de alta, Kovner recebeu uma ligação de seu corretor. "A soja está na lua!", disse-lhe, empolgado, o corretor. "Parece que julho vai chegar no limite superior, e novembro com certeza também vai. Quem ficar vendido nos contratos de novembro é bobo. Deixe-me liquidar novembro para você, e daqui a alguns dias, quando o mercado chegar no limite superior, você vai ganhar mais dinheiro." Kovner concordou em cobrir sua posição vendida para novembro, o que o deixou apenas comprado no contrato de julho.

Perguntei a Kovner se tinha sido uma decisão no calor do momento. "Foi um momento de insanidade", respondeu.

Apenas quinze minutos depois, o corretor de Kovner ligou de novo. Dessa vez, ele estava em pânico. "Não sei como contar isso a você, mas o mercado está no limite inferior! Não sei se consigo tirar você."

Kovner ficou chocado. Gritou com o corretor para tirá-lo do contrato de julho. Felizmente, o mercado saiu do limite por alguns minutos e ele conseguiu sair. Nos dias seguintes, o mercado despencou com a mesma velocidade com que subira. Se não tivesse pulado fora naquela hora, Kovner teria perdido um valor maior que seu patrimônio, porque estava fortemente na margem. No fim das contas, entre o momento em que deixou seu corretor liquidar apenas o lado vendido de sua posição de *spread* e o momento em que o lado comprado foi liquidado, horas depois, sua carteira de *equities* caíra pela metade.

Kovner compreendeu que sua decisão impulsiva de liquidar a parte vendida de sua posição de *spread*, em meio a um pânico do mercado, demonstrava um desdém total pelo risco. "Acho que o que mais me incomodou", disse, "foi me dar conta de que eu tinha perdido um processo de racionalização que eu acreditava ter."

Ironicamente, um dos trades que Michael Marcus lembra como um dos mais dolorosos também diz respeito a uma decisão impulsiva tomada no mercado de soja. Marcus ficou comprado em soja durante a grande alta do mercado em 1973, na qual o preço do grão triplicou em relação ao recorde anterior. À medida que o rali crescia, Marcus, de maneira impulsiva, realizou integralmente o lucro de sua posição. Em suas palavras, "eu estava tentando ser original, em vez de seguir a tendência". Ed Seykota, que trabalhou na mesma firma e servia de modelo para Marcus, segurou sua posição, considerando que não havia sinal de reversão da tendência. O mercado de soja continuou subindo, chegando ao limite de alta por doze dias consecutivos. Durante esse período, Marcus nem tinha vontade de ir trabalhar, sabendo que os lances pela soja iam atingir de novo o limite superior e que ele tinha saído de sua posição, enquanto Seykota ainda estava nela. Foi uma experiência tão sofrida que certo dia, quando Marcus sentiu que não suportava mais, tomou um remédio fortíssimo para aguentar a dor.

Marty Schwartz advertiu para o perigo de agir impulsivamente na tentativa de recuperar prejuízos no trading. "Sempre que você leva uma pancada", disse, "você fica muito abalado emocionalmente. A maioria dos traders tenta recuperar tudo de imediato, realizando uma jogada ainda maior. Sempre que você busca recuperar todas as suas perdas de uma vez só, está condenado ao fracasso."

Com base em minha experiência pessoal, eu diria que provavelmente não existe nenhum tipo de trade com uma taxa de insucesso maior que o trade impulsivo. Qualquer que seja seu método preferido, quando tiver uma estratégia de trading definida, atenha-se ao plano de jogo e evite decisões de impulso. Entre os exemplos de decisões de trading precipitadas estão: fazer um trade sem planejamento, realizar os lucros em uma posição antes que o objetivo-alvo ou o *stop loss* tenha sido atingido, e implementar um trade porque um amigo ou algum suposto especialista do mercado recomendou.

NÃO CONFUNDA INTUIÇÃO COM IMPULSO

Não se deve confundir o trade impulsivo com o trade intuitivo. O primeiro é quase sempre uma ideia ruim, enquanto o segundo pode ser um trade de alta probabilidade de êxito quando o trader é experiente.

A intuição não tem nada de místico ou supersticioso. No meu entender, a intuição é simplesmente a experiência subconsciente. Quando um trader tem a intuição de que o mercado vai andar numa determinada direção, muitas vezes trata-se do reconhecimento subconsciente de situações semelhantes do passado.

> O truque é saber diferenciar entre o que você *quer* que aconteça e o que você *sabe* que vai acontecer.
>
> UM TRADER

A influência das emoções pode comprometer a objetividade da análise de mercado e das decisões de trading. Por exemplo, um trader que está comprado tem mais tendência a desprezar evidências do mercado que, do contrário, interpretaria como sendo de queda se não estivesse posicionado. Aceitar uma previsão pessimista pode ser duro demais quando se está comprado e esperando uma alta do preço. Ou um trader pode ignorar sinais de que o mercado está em ascensão porque demorou para assumir uma posição, e entrar agora apenas confirmaria o equívoco de não ter entrado antes, quando os preços estavam mais baixos. Como exemplo final, um trader que anunciou uma previsão de oscilação do mercado, para cima ou para baixo, relutará em aceitar evidências em contrário. Recalques como esses podem turvar a análise consciente e as decisões de trading, impedindo que o trader identifique evidências incômodas de aceitar. O subconsciente, porém, não se inibe com esses recalques. Como disse um trader que entrevistei (e que pediu anonimato): "O truque é saber diferenciar entre o que você *quer* que aconteça e o que você *sabe* que vai acontecer."

Aquilo que chamamos de "intuição" pode ser simplesmente a síntese objetiva das informações disponíveis, com base na experiência anterior, sem as travas das distorções emocionais. Infelizmente, não dá para recorrer a nosso subconsciente sempre que queremos. Porém, quando essas visões do mercado se materializam como intuição, o trader tem que prestar atenção.

CAPÍTULO 18

Trading dinâmico *versus* trading estático

A NECESSIDADE DE SE ADAPTAR

Embora a maior parte dos princípios de trading discutidos neste livro (talvez todos) sejam atemporais, as estratégias e metodologias de trading precisam ser adaptáveis. Quando perguntei se Colm O'Shea seguia regras específicas de trading, ele respondeu: "Eu uso algumas diretrizes de risco, mas não é assim que eu penso em regras. Os traders bem-sucedidos no longo prazo são aqueles que se adaptam. Caso eles usem regras, e você se encontre com eles 10 anos depois, verá que eles violaram todas essas regras. Por quê? Porque o mundo vai mudando."

> Os traders bem-sucedidos no longo prazo
> são aqueles que se adaptam.
>
> COLM O'SHEA

O'Shea continua: "Algumas só são aplicáveis a um mercado em um momento específico. Os traders que se dão mal podem até ter regras excelentes, mas elas param de funcionar. Eles se agarram a elas porque antes funcionavam, e ficam superchateados de perder dinheiro mesmo fazendo aquilo que sempre fizeram. Não se dão conta de que o mundo caminhou sem eles."

Edward Thorp deu um exemplo perfeito de como os traders de sucesso se adaptam. Entre os muitos pioneirismos de Thorp ao longo da carreira está o de ter sido o primeiro a implementar a arbitragem estatística como estratégia. A arbitragem estatística é uma espécie de estratégia mercadologicamente neutra, em que os portfólios são montados a partir de um grande número de posições compradas e vendidas em títulos, balanceadas para minimizar as movimentações do mercado nesta ou naquela direção ou outros riscos. É uma estratégia comprada em títulos subavaliados e vendida nos superavaliados, com um ajuste dinâmico nos ativos conforme a variação dos preços. Em geral, mas nem sempre, é usada estratégia de reversão à média para determinar quais ações estão subavaliadas e quais estão superestimadas.

Em 1979, Thorp lançou um projeto de pesquisa que batizou de "projeto dos indicadores". Ele saiu em busca de dados que poderiam ter valor preditivo do preço de títulos específicos. Thorp e sua equipe analisaram um amplo leque de possíveis indicadores, entre eles faturamentos inesperados, taxas de pagamento de dividendos, relação entre valor comercial e valor contábil, etc. Dentro desse projeto, um dos pesquisadores examinou as ações que tinham subido e descido mais no passado recente. Esse fator revelou-se, de longe, o indicador mais eficaz na previsão do preço dos papéis a curto prazo. Basicamente, as ações que tinham subido mais tendiam a performar mal no período subsequente, enquanto as ações que tinham caído mais tendiam a superar a média. Essa estratégia foi batizada de MUD (*most up, most down*: mais subiram, mais desceram).

Na versão inicial dessa estratégia, Thorp tentava controlar o risco equilibrando a exposição a títulos comprados e vendidos. A abordagem funcionou muito bem, com um controle de risco razoável, mas depois de algum tempo a performance retorno/risco começou a piorar. Nesse momento, Thorp revisou a estratégia, montando portfólios neutros em relação aos mercados e também aos setores. Então, quando até mesmo o modelo neutro em relação aos setores começou a dar sinais de não ser mais vantajoso, adotou uma estratégia que neutralizava o portfólio de acordo com diversos fatores definidos matematicamente. No momento da adoção dessa terceira versão, a versão original do sistema já havia piorado bastante. Adaptando sempre a estratégia às necessidades, Thorp conseguiu manter um desempenho retorno/risco superior, ao passo que, se tivesse mantido o sistema original, que funcionara tão bem da primeira vez, a lucratividade teria evaporado com o passar do tempo.

ESTRATÉGIA GRADUAL (*SCALING*) VERSUS PREÇO ÚNICO DE ENTRADA E SAÍDA

Não é preciso entrar ou sair de uma posição de uma vez só. A maioria dos traders tende a escolher um preço único de entrada e um preço único de saída, mas com frequência é melhor entrar e sair gradualmente das posições. Por exemplo, vamos pensar em um dilema comum vivido pelos traders. Digamos que você tenha uma forte convicção de que um mercado vai se valorizar, mas os preços acabaram de passar por um ajuste importante para cima. Sua preocupação é que, se comprar agora e ocorrer uma correção, o prejuízo inicial vai forçá-lo a sair do mercado, mesmo tendo razão na direção de longo prazo. Por outro lado, se for um trade verdadeiramente bom, há uma enorme probabilidade de que a espera por uma correção o leve a acabar perdendo a jogada por inteiro. Existe, porém, uma terceira opção: você pode comprar uma posição parcial (*scale-in*) no mercado e usar um processo de entrada gradual para o restante da posição. Esse método de compra gradual assegura que você tenha pelo menos uma posição parcial se o mercado seguir em frente, sem ter que assumir o risco implícito da compra da posição por inteiro depois de uma alta substancial. Ao reduzir o preço médio de entrada, também se reduz a probabilidade de perder um bom trade de longo prazo por conta de um prejuízo inicial na entrada.

Uma perspectiva análoga também pode se aplicar à saída de uma posição. Por exemplo, suponhamos que você esteja comprado em uma posição com um ganho importante e tenha medo de abrir mão desse lucro. Se você sair inteiramente da posição e ela continuar se valorizando, acaba perdendo uma porção substancial da operação inteira. No entanto, caso segure a posição inteira e o mercado sofra uma reversão, boa parte do seu ganho evapora. Como alternativa, sair gradualmente (*scale-out*) garante uma posição parcial se a alta continuar, ao mesmo tempo que minimiza a perda de lucro se o mercado mudar de direção. Bill Lipschutz, ex-chefe mundial de trading cambial do Salomon Brothers e gerente de portfólio da Hathersage Capital Management, uma gestora financeira cambial, atribui sua capacidade de conservar bons trades de longo prazo ao uso de ordens *scale-out*: "Isso me permitiu conservar trades vencedores de longo prazo por muito mais tempo do que a maioria dos traders."

Evite a tentação de querer ter razão total. Ao evitar decisões tudo ou nada, e em vez disso entrar e sair gradualmente das posições, você nunca obterá o resultado perfeito, mas tampouco viverá o pior cenário.

O TRADING DE AJUSTE DE POSIÇÕES

A maioria dos traders tende a enxergar o trade como um processo de duas etapas: uma decisão de quando (ou onde) entrar e uma decisão de quando (ou onde) sair. Talvez fosse melhor enxergar o trading como um processo dinâmico, entre os pontos de entrada e saída, e não um processo estático.

Talvez nenhum entrevistado meu tenha exemplificado o processo de trading dinâmico melhor que Jimmy Balodimas, um trader individual extremamente bem-sucedido da First New York Securities e um heterodoxo por excelência. No livro *Hedge Funds Market Wizards* (Os magos do mercado de hedge funds) comecei meu capítulo sobre Balodimas com a frase "Jimmy Balodimas desrespeita todas as regras". E ele desrespeita mesmo. Vende em momentos de forte alta e compra em mercados que estão despencando. Investe em perdedores e pula fora de vencedores. Não aconselho ninguém a tentar copiar o método de trading de Balodimas, que, em minha opinião, seria suicídio financeiro para a maioria das pessoas. Mas existe um elemento – e apenas um – em seu estilo de trading que, acredito, possa beneficiar muitos traders. Esse aspecto específico de seu trading, que vamos abordar em breve, explica como Balodimas pode ter lucro líquido com tanta frequência, mesmo quando está do lado errado do mercado.

Minha primeira entrevista com Balodimas ocorreu em 22 de fevereiro de 2011, um dia de forte queda da bolsa. Antes daquele dia, o mês tinha sido particularmente brutal para quem estava vendido, pois todos os dias o mercado atingia novos recordes, em intervalos nunca superiores a três dias. Balodimas estava fortemente vendido ao longo de todo o mês de fevereiro. Na abrupta realização de lucros do dia 22 perdeu pouco menos da metade dos ganhos do mês, mas foi suficiente para Balodimas mais que recuperar todas as perdas do mês até ali.

Uma das primeiras perguntas que fiz a ele foi: "Como você pode estar por cima mesmo tendo estado do lado errado do mercado?"

Eu sempre tiro uma parte do dinheiro da mesa quando o mercado está a meu favor (...) Isso me poupa muito dinheiro, porque quando o mercado se recupera minha posição já está menor.

JIMMY BALODIMAS

Ele respondeu, do seu ponto de vista de trader vendido no momento da entrevista: "Eu sempre tiro uma parte do dinheiro da mesa quando o mercado está a meu favor (...) Isso me poupa muito dinheiro, porque quando o mercado se recupera minha posição já está menor. É um costume que tenho desde o primeiro dia. Sempre tiro dinheiro da mesa quando está a meu favor. Sempre, sempre, sempre."

O ajuste do tamanho da posição em sentido contrário à flutuação do mercado (isto é, reduzindo uma posição vendida no período de baixa e recompondo uma posição completa na alta) é um elemento-chave do sucesso de Balodimas. Ele é tão talentoso no trading de ajuste de posições que às vezes, como neste caso, obtém lucro líquido mesmo estando do lado errado da tendência do mercado. Embora poucos traders tenham condições de imitar o dom inato de Balodimas para ajustar suas posições, uma abordagem dinâmica do trading, em vez de estática, pode ser benéfica para muitos.

Na prática, como poderia ser usada uma abordagem dinâmica do trading? A ideia básica é que o tamanho da posição seja reduzido em um movimento lucrativo e reconstruído numa correção posterior. Toda vez que uma posição é reduzida e o mercado retorna ao ponto de reentrada, gera-se um lucro que, do contrário, não teria sido realizado. Pode até acontecer que um trade que não tenha uma variação favorável do preço líquido, medida entre o ponto de entrada original e o ponto de saída final, acabe sendo lucrativo devido ao trading contrário à posição (isto é, reduzindo a exposição em variações favoráveis dos preços e aumentando se houver alterações posteriores adversas).

Outra vantagem importante de reduzir a exposição numa variação favorável dos preços é que isso diminui as chances de ficar de fora de um bom trade em uma correção dos preços, pois, como a posição já foi reduzida, a correção teria menos impacto. Pode até ser considerada desejável, como oportunidade para reentrar na parte liquidada do trade. Por exemplo, digamos que você comprou uma ação a 40, fixando a meta de 50 e com a expectativa de resistência temporária em 45. Considerando esses pressupostos, você pode usar uma estratégia de reduzir a exposição em 45 e recompor a posição integral num momento de retomada. Com essa abordagem, sua posição será mais robusta nessa retomada. Por outro lado, no caso de uma abordagem estática, essa retomada geraria o receio de perda integral do lucro do trade, aumentando a probabilidade de que ele fosse totalmente liquidado.

A única situação em que a estratégia de realizar parcialmente o lucro em uma variação favorável dos preços e recompor durante uma correção leva a uma perda líquida ocorre quando o mercado continua a andar na direção indesejada, sem retornar ao nível de reentrada. Nesse caso, porém, por definição, a parte da posição que foi mantida será muito lucrativa. Por isso, no fim das contas, esse processo de trading dinâmico pode aumentar o lucro em variações de preços com correções, assim como aumentar a probabilidade de manter bons trades, ao custo de uma parte dos lucros nos trades que avançarem de maneira suave na direção pretendida. O trading de ajuste das posições não é necessariamente uma boa pedida para todos os traders, mas alguns hão de considerar esse método bastante benéfico.

CAPÍTULO 19

As reações do mercado

Uma reação inesperada a uma notícia sobre o mercado pode ter um significado maior que a notícia propriamente dita. Marty Schwartz conta que foi o amigo Bob Zoellner que lhe ensinou a analisar a forma de agir do mercado. Schwartz resumiu isso num princípio básico: "Quando o mercado recebe uma boa notícia e cai, é porque está muito fraco; quando recebe uma notícia ruim e sobe, é sinal de que a saúde do mercado está boa." Muitos traders que entrevistei relembraram experiências de trading que reforçam essa ideia.

> Quando o mercado recebe uma boa notícia e cai, é porque está muito fraco; quando recebe uma notícia ruim e sobe, é sinal de que a saúde do mercado está boa.
>
> MARTY SCHWARTZ

O OURO E A PRIMEIRA GUERRA DO IRAQUE

Randy McKay relatou um método de trading que leva em conta a reação do mercado a notícias relevantes. Ao explicar seu conceito de relevância, disse: "Não fico pensando 'Há excesso de oferta, então o mercado vai cair.' Em vez disso, acompanho a reação do mercado a informações relevantes." McKay deu o exemplo clássico do comportamento do mercado de ouro em resposta à primeira Guerra do Iraque, iniciada em janeiro de 1991. Na véspera do primeiro bombardeio aéreo americano, o ouro estava sendo negociado abaixo do nível psicologicamente importante de 400 dólares. Na noite em que os aviões americanos começaram a atacar, ultrapassou esse patamar, atingindo 410 dólares nos mercados asiáticos. Em seguida, porém, recuou para 390 – menos do que antes do início da alta motivada pela guerra. Diante do que se esperava ser uma notícia positiva, McKay encarou o declínio do preço do ouro como um sinal de muito pessimismo. Na manhã seguinte, o metal abriu em forte baixa no mercado americano e continuou caindo nos meses seguintes.

QUANDO MCKAY SE INTERESSOU PELA BOLSA

McKay sempre foi influenciado pela reação do mercado ao noticiário. Nove anos antes, em 1982, ele estava muito otimista em relação à bolsa de valores. McKay era trader de futuros e nunca tinha operado com ações. Sua convicção era tão forte em relação à bolsa, porém, que isso o levou a abrir uma carteira de ações. Perguntei a McKay o motivo de tanta certeza de que a bolsa ia subir, se ele nunca tinha operado com ações. Ele respondeu: "Em parte, era por ver o mercado subindo quase todo dia sem nenhuma notícia especial que justificasse. Na verdade, o noticiário andava bem negativo: inflação, taxas de juros e desemprego continuavam muito altos." Neste caso, também, o humor do mercado – a capacidade das cotações da bolsa continuarem progredindo apesar de fundamentos claramente negativos – representava o indício crucial.

AS SURPRESAS DE DALIO

Ray Dalio relembra episódios do início da carreira, em que foi surpreendido pela reação do mercado ao noticiário. Em 1971, depois de se formar na faculdade, Dalio trabalhou como anotador na Bolsa de Nova York. Em 15 de agosto daquele ano, Richard Nixon tirou os EUA do padrão-ouro, causando uma reviravolta no sistema monetário. Dalio considerou tratar-se de uma notícia pessimista, mas, para sua surpresa, o mercado reagiu com alta.

Onze anos depois, com os Estados Unidos mergulhados na recessão e o desemprego em torno de 11%, o México deu o calote na dívida. Dalio sabia que os bancos americanos detinham enormes quantias de dívida latino-americana. Supôs, com naturalidade, que o calote seria um desastre para a bolsa. As expectativas de Dalio não poderiam estar mais equivocadas. O calote do México tinha ocorrido bem perto do ponto mais baixo da bolsa e marcou o início de uma alta que durou 18 anos.

Comentando essas duas experiências em que a reação do mercado foi exatamente o contrário de suas expectativas, Dalio afirmou: "Tanto no abandono do padrão-ouro em 1971 quanto no *default* do México em 1982, aprendi que o desdobramento de uma crise que leva os bancos centrais a vir em socorro e trazer alívio pode anular o impacto da crise propriamente dita." De fato, testemunhamos outro exemplo drástico dessa observação no grande período de alta que ocorreu na sequência do derretimento do mercado financeiro entre 2008 e 2009 – recuperação fortemente auxiliada pela intervenção agressiva dos bancos centrais.

Muitas vezes os investidores ficam pasmos quando os mercados reagem contra as expectativas a um acontecimento. Esse comportamento aparentemente paradoxal pode ser explicado pelo fato de que os mercados muitas vezes antecipam as notícias e já descontam o evento iminente. Por exemplo, o calote da dívida americana em 1982 foi amplamente antecipado antes do *default* mexicano realmente ocorrer. Ironicamente, a própria ocorrência de um evento esperado faz com que o mercado deixe de temê-lo, o que acaba levando a uma reação dos preços inversa à prevista. Outro fator que explica a reação otimista do mercado em relação a uma notícia negativa é que esta última – principalmente quando é relevante – pode desencadear repercussões positivas. Por exemplo, acontecimentos com consequências muito negativas para a economia e o humor do mercado podem levar a medidas do banco central que, por sua vez, provocam uma recuperação.

O MAIS OTIMISTA DOS RELATÓRIOS

O mercado não precisa necessariamente observar uma forte reação inesperada a uma notícia relevante para dar sinais de seu humor. Uma reação fraca a um acontecimento que seria considerado forte motivo de otimismo ou pessimismo pode ter a mesma consequência.

> Sempre pergunte a si mesmo: "Sobrou quanta gente para reagir a essa ideia específica?" É preciso levar em conta se a notícia já está no preço.
>
> MICHAEL MARCUS

Michael Marcus disse: "Sempre pergunte a si mesmo: 'Sobrou quanta gente para reagir a essa ideia específica?' É preciso levar em conta se a notícia já está no preço."

"E como é que eu conseguiria avaliar isso?", perguntei a ele.

Marcus explicou que era uma questão de ler o humor do mercado. Ele me deu um exemplo que considera clássico, o da alta do mercado da soja no final dos anos 1970. Na época, ocorrera uma forte escassez de soja, e toda semana o relatório de exportações do governo fazia os preços aumentarem ainda mais. Um dia depois da divulgação do relatório semanal mais recente, Marcus recebeu uma ligação de um colega de empresa. O interlocutor disse: "Tenho uma boa e uma má notícia."

"OK, qual é a boa?", perguntou Marcus.

"A boa notícia é que o dado de compromisso de exportações foi espetacular. A ruim é que sua posição não está no limite." (Uma posição limite é a que tem o máximo tamanho especulativo permitido).

O relatório era tão otimista que a expectativa geral era de que o mercado ficaria três dias seguidos no limite superior. Embora estivesse fortemente comprado, e o relatório indicasse que sua posição realizaria lucros extraordinários, Marcus acabou ficando um pouco chateado, porque não detinha o valor máximo permitido para especuladores. Na manhã seguinte, ele deu uma ordem de compra de mais contratos na abertura, só para o caso de dar sorte e o mercado operar momentaneamente antes de outra paralisação no limite superior. Aí, "relaxei para assistir ao show", conta Marcus.

Como esperado, o mercado abriu no limite de alta, mas logo em seguida os preços caíram abaixo do limite. O telefone tocou. Era o corretor de Marcus avisando que todas as suas ordens de compra tinham sido cumpridas. O mercado começou a baixar. Marcus pensou: "Era para a soja ficar três dias no limite superior, e não ficou nem na primeira manhã." Na mesma hora ele ligou para o corretor, dando ordens frenéticas de venda. Marcus ficou tão agitado que perdeu a conta da quantia que vendeu. No fim das contas, acabou não só saindo inteiramente da posição, mas ficando bastante vendido liquidamente – posições que ele acabaria recomprando a preços bem mais baixos. "Foi a única vez que eu ganhei dinheiro errando", disse Marcus.

Quando Marcus me contou essa história, me lembrou bastante um acontecimento que eu vivenciei durante a maior alta de algodão no século XX, quando os preços atingiram quase 1 dólar por libra – o maior nível desde a Guerra Civil americana. Lembro-me de que eu estava comprado em algodão, e o relatório semanal de exportações apresentou vendas de meio milhão de sacas para a China. Era, de longe, o relatório de exportações de algodão mais otimista que eu já tinha visto. Porém, em vez de travar no limite superior (200 pontos acima) na manhã seguinte, o algodão abriu em alta de apenas 150 pontos, e em seguida começou a cair. Aquela abertura revelou-se exatamente o ápice do mercado – ápice que levaria bem mais de 30 anos para se repetir.

DRUCKENMILLER DO LADO ERRADO DO MERCADO

Na esteira da queda do Muro de Berlim e da reunificação alemã, Stanley Druckenmiller detinha uma enorme posição comprada em marcos alemães, com base na premissa de que a Alemanha adotaria tanto uma política fiscal expansionista quanto uma política monetária austera – combinação que gera otimismo. Ele continuou fortemente comprado no início da primeira Guerra do Iraque. Ficar comprado em marcos se revelaria uma posição péssima no período subsequente. No entanto, Druckenmiller evitou o prejuízo iminente ao abandonar sua antiga posição otimista em relação ao marco e vender 3,5 bilhões de dólares em um só dia.

Perguntei a ele o que havia causado aquela mudança repentina de opinião em relação ao marco alemão. Druckenmiller explicou: "Durante o estágio inicial da guerra dos EUA com o Iraque, o dólar foi auxiliado pelas compras de segurança. Certa manhã, saiu a notícia de que Saddam Hussein ia se render antes que começasse a invasão por terra. Diante dessa notícia, o dólar deveria ter sido fortemente vendido contra o marco, mas ele só caiu um pouco. Alguma coisa estava errada."

A POSIÇÃO IMBATÍVEL

Em 2009, Michael Platt assumiu uma enorme posição em um trade que tentava tirar partido de um alargamento da curva de cupom (isto é, quando as taxas de juros de longo prazo sobem mais ou caem menos que as taxas de curto prazo). Uma série de notícias ia no sentido contrário ao trade. A cada uma delas, Platt pensava: "Vou me lascar nessa posição", e a cada vez nada acontecia. Depois que esse cenário se repetiu várias vezes, Platt achou que a curva de cupom não ia se achatar, por piores que fossem as notícias. Ele quadruplicou sua posição, e a curva de cupom foi de 25 para 210 pontos. Foi seu trade mais vencedor daquele ano, mesmo tendo realizado lucros mais ou menos na metade dessa alta.

A BOLA DE VÔLEI EMBAIXO D'ÁGUA

Scott Ramsey é gerente de portfólio da Denali Asset Management, uma consultoria de trading de commodities com um retorno composto médio anual de 15% (líquidos) e volatilidade anualizada de apenas 11% ao longo de 13 anos de história. Ramsey compara a capacidade do mercado de ignorar a notícia de uma crise a soltar uma bola de vôlei embaixo d'água. Ao comentar como os mercados de títulos europeus e americanos atingiram novas altas um dia depois de o Banco Central Europeu socorrer a Irlanda, Ramsey disse: "Imagine que você empurrou uma bola de vôlei debaixo d'água – essa é a sua crise. Aí solte ela – o evento se dissipa – e a bola pula para fora d'água. É exatamente o que vivenciamos nos mercados." Para Ramsey, esse tipo de resiliência dos preços indicava que os mercados estavam em modo "o risco está on" e provavelmente continuariam subindo.

COMPRADO NO MERCADO FORTE, VENDIDO NO MERCADO FRACO

Ramsey também acredita que a robustez relativa dos mercados durante uma crise pode ser útil como previsão. "Um exercício simples de analisar quais mercados estavam mais fortes no momento da crise pode antecipar aqueles que provavelmente serão os líderes quando a pressão diminuir – os mercados que serão a bola de vôlei pulando fora d'água."

Ramsey considera que a robustez relativa dos mercados é um fator importante em todos os momentos, e não apenas durante as crises. Ele busca sempre estar comprado no mercado mais forte e vendido no mais fraco. Por exemplo, no final do período conhecido como QE2 (a segunda fase do *quantitative easing*, o afrouxamento monetário executado pelo Federal Reserve), Ramsey esperava que a migração de ativos para longe do dólar se interromperia, e a moeda americana se recuperaria. A questão era qual moeda seria usada como *short* contra o dólar. "O elo fraco", conta Ramsey, "acabou sendo a lira turca, que estava no valor mais baixo em dois anos em relação ao dólar. Se ela não podia se recuperar frente ao dólar nem quando o Fed estava imprimindo dinheiro loucamente, o que era preciso?"

Um exercício simples de analisar quais mercados estavam mais fortes no momento da crise pode antecipar aqueles que provavelmente serão os líderes quando a pressão diminuir – os mercados que serão a bola de vôlei pulando fora d'água.

Scott Ramsey

Michael Marcus fez o mesmo comentário em relação a comprar no mercado mais forte e vender no mais fraco. "O ideal é sem dúvida apostar contra quando o mercado reage muito mal em relação a qualquer coisa", diz. "Se uma notícia é maravilhosa e o mercado não consegue subir, certifique-se de estar vendido." Como exemplo, ele recordou um período muito inflacionário, nos anos 1970, quando todos os mercados de commodities estavam operando em uníssono. Em um dia particularmente extremo, quase todos estavam no limite superior. Naquele dia, o algodão abriu no limite superior, mas logo sofreu uma queda, terminando com uma alta insignificante. "Todos os outros estavam travados no limite superior, mas o algodão nunca mais voltou a ver a luz do dia."

A maioria dos traders novatos tenta comprar os retardatários de um setor, com base na premissa de que esses mercados têm o melhor potencial de retorno/risco, já que ainda não se mexeram tanto quanto os outros. O que Marcus e Ramsey estão dizendo é que deveriam fazer exatamente o oposto.

A DICA DA CORRELAÇÃO

Existem períodos em que diferentes mercados se movimentam em relativa sintonia. Nessas fases, quando um mercado não reage como esperado à variação de preço do mercado correlato, isso pode ser uma importante dica de preço. Ramsey citou o exemplo do rompimento da correlação entre os preços das commodities e os preços das *equities* em setembro de 2011.

Logo depois da crise financeira de 2008, mercados que antes não tinham correlação se tornaram fortemente correlatos, à medida que oscilavam entre ambientes "risco on" e "risco off". Durante os períodos "risco on", tanto as *equities* quanto as commodities e as moedas estrangeiras (frente ao dólar) tiveram tendência a subir. Nos dias "risco off", prevalecia um comportamento de preços exatamente inverso.

Em meados de setembro de 2011, esse padrão de correlação rompeu-se totalmente. Embora o preço das *equities* tenha reagido, chegando ao ponto mais alto de uma faixa de trading de dois meses, o cobre, considerado um importante indicador do preço das commodities, atingiu o valor mais baixo em um ano, sem qualquer reação à alta do preço das *equities*. Ramsey encarou esse comportamento do preço como sinal de que as commodities em geral, e o cobre em especial, estavam vulneráveis a um declínio – tendência de baixa que viria de fato a ocorrer.

CAPÍTULO 20

O valor de um erro

Para criar meu aspirador de pó, construí 5.127 protótipos. Significa que eu fracassei 5.126 vezes. Mas a cada um desses fracassos eu descobria alguma coisa.

James Dyson

Eu nunca fracassei. Só descobri 10 mil jeitos que não funcionam.

Thomas Edison

Aprende-se mais com os próprios erros que com os próprios acertos.

Primo Levi

"O aprimoramento por meio dos erros" talvez também seja uma boa descrição sucinta da filosofia central de Ray Dalio. Dalio é apaixonado por erros, por acreditar que eles proporcionam o aprendizado que leva ao aperfeiçoamento. A ideia de que o erro pavimenta o caminho para o progresso permeia a cultura corporativa que Dalio sempre buscou incutir em sua empresa, a Bridgewater. Dalio é quase reverente em seus comentários sobre errar:

"Aprendi que existe uma incrível beleza nos erros, porque cada um deles guarda uma charada e uma joia que será minha se eu encontrar a resposta (isto é, um princípio que poderei usar para cometer menos erros no futuro). Aprendi que cada erro é, provavelmente, um reflexo de alguma coisa que eu estava (ou outros estavam) fazendo de errado. Por isso, se eu for capaz de descobrir o que aconteceu, posso aprender a ser mais eficiente. (...) Enquanto a maioria parece acreditar que errar é ruim, eu acredito que é uma coisa boa, pois o maior aprendizado vem de cometer erros e refletir a respeito deles."

Dalio expôs sua filosofia de vida e seus conceitos de gestão nos *Princípios*, um documento de 111 páginas que é leitura obrigatória para todos os funcionários da Bridgewater. A segunda parte da obra é uma lista de 277 regras de gestão, que (nenhuma surpresa aqui) inclui regras relativas aos erros. Uma amostra:

- Reconheça que os erros são benéficos se resultam em aprendizado.
- Crie uma cultura em que o fracasso é permitido, mas é inaceitável não identificar, analisar e aprender com os erros.
- Reconheça que você certamente vai cometer erros e apresentar fraquezas, assim como aqueles à sua volta e aqueles que trabalham para você. O que importa é como você lida com eles. Quando trata o erro como uma oportunidade de aprendizado que pode gerar rápidos aprimoramentos se bem manejado, você ficará empolgado com ele.

- Se você não se importa de estar errado no caminho para estar certo, aprenderá muita coisa.

Marty Schwartz estabeleceu um contraste entre o trading e outras carreiras quanto à reação ao erro: "A maioria das pessoas, na maior parte das profissões, perde tempo tentando acobertar o próprio erro. Como trader, você é forçado a encará-lo, porque os números não mentem."

COMO ANALISAR SEUS TRADES

Steve Clark aconselha os traders que trabalham para ele a dissecarem suas perdas e ganhos para identificar o que está dando certo e o que não está. Segundo ele, muitos traders não têm ideia de onde vêm seus lucros. E mesmo quando sabem, às vezes ignoram esse conhecimento. Ele conta que muitas vezes traders que buscam sua opinião dizem: "Estou cuidando desta conta, e a coisa anda muito bem, mas naquela outra não paro de perder dinheiro." Clark diz a eles: "Faça mais o que dá certo e menos o que não dá." Esse comentário pode parecer um conselho óbvio, mas é surpreendente como muitos traders deixam de obedecer a essa regra simples.

> Faça mais o que dá certo e menos o que não dá.
>
> STEVE CLARK

Vários dos magos do mercado afirmaram que anotar e analisar seus trades foi crucial para o sucesso. Ray Dalio disse que a origem do sistema Bridgewater remonta a esse processo: "A partir de 1980, mais ou menos, criei uma rotina de, sempre que fazia um trade, escrever os motivos em um bloquinho. Quando eu liquidava o trade, dava uma olhada no que de fato ocorreu e comparava com minha linha de pensamento e expectativas na época em que fiz o trade."

Randy McKay atribuiu seu êxito precoce a uma rotina rígida de análise de seus trades. Ele contou que deu início a esse processo na época em que era operador no pregão da bolsa: "Uma das coisas que eu fazia nesses primeiros tempos, e que funcionava, era analisar um por um os meus trades. Todos os dias, eu tirava uma cópia dos meus cartões e revisava tudo em casa. Você tem que determinar por que os vencedores são vencedores e os perdedores são perdedores. Depois que descobre, passa a ser mais seletivo no trading e evitar aqueles com maior probabilidade de dar prejuízo."

Reconhecer cada erro e tomar providências representa uma oportunidade de aprimorar o método de trading. A maioria dos traders se beneficia de anotar cada erro, a lição tirada e a mudança pretendida. Esse caderninho de trading pode ser revisado periodicamente, como reforço. Não há como evitar erros de trading, mas há como evitar repeti-los, e em muitos casos aí está a diferença entre o sucesso e o fracasso.

CAPÍTULO 21

A ideia *versus* a implementação

UM TRADE PÓS-BOLHA

A implementação de um trade pode ser mais importante que a própria ideia do trade. Colm O'Shea enxergava o *bull market* da Nasdaq em 1999 e no começo de 2000 como uma bolha. Quando o mercado sofreu uma alta abrupta em março de 2000, ele tinha quase certeza de que havia atingido o ápice e que as ações iam perder a maior parte dos ganhos anteriores. Apesar dessa expectativa, O'Shea nunca cogitou ficar vendido naqueles títulos. Por quê? Porque, como ele explicou, embora a alta durante a bolha possa ser bastante suave, a queda de preços quando a bolha estoura costuma ser entremeada de traiçoeiros momentos de recuperação.

O'Shea considerou que seria muito mais fácil jogar com as repercussões de um mercado no auge do que simplesmente ficar vendido em papéis. Mais especificamente, sua ideia era que a economia americana vinha recebendo um estímulo artificial de uma precificação totalmente distorcida dos ativos. Quando estourou a bolha da Nasdaq, ficou claro para O'Shea que a economia ia desacelerar. Essa economia mais fraca levaria, por sua vez, a uma queda da taxa de juros. Por isso, em vez de implementar uma posição vendida, O'Shea ficou comprado em títulos. Apesar de as duas tendências terem se confirmado – isto é, as ações caíram e as taxas de juros também –, a grande diferença foi que, como O'Shea previra, a queda do preço das ações foi extremamente errática, enquanto a queda da taxa de juros (o aumento do valor dos títulos), relativamente suave.

Foi um trade altamente bem-sucedido, não porque a premissa subjacente estivesse correta (e estava), e sim pela forma como foi implementado.

Embora ao pico da Nasdaq de março de 2000 tenha se seguido um declínio de mais de 80% que durou dois anos e meio, no verão de 2000 a Nasdaq apresentou uma recuperação de mais de 40%. Se O'Shea tivesse implementado sua ideia por meio de uma posição vendida no índice da bolsa, teria tomado uma decisão correta, mas muito provavelmente teria perdido dinheiro com um *stop* em meio a esse forte período de alta. Em compensação, a posição comprada em títulos, que ele implementou no lugar de ficar vendido em papéis, apresentou uma tendência de alta bastante suave. Foi um trade altamente bem-sucedido, não porque a premissa subjacente estivesse correta (e estava), e sim pela forma como foi implementado.

UMA ALTERNATIVA MELHOR

Às vezes existem opções muito melhores para implementar um trade que não são uma posição pura e simples. Joel Greenblatt descreve um trade que executou na Wells Fargo que é um exemplo perfeito de situação em que uma posição de opções representava uma taxa de retorno/risco muito mais alta que uma simples posição comprada.

Como explicou Joel Greenblatt, "no início dos anos 1990, a Wells Fargo, que era um excelente negócio, gerador de dividendos consistentes e de longo prazo, começou a sofrer forte pressão por causa de sua alta concentração em empréstimos para imóveis comerciais na Califórnia, num momento em que o estado vivia uma profunda recessão no setor imobiliário. Havia a possibilidade, ainda que pequena, de uma crise imobiliária tão profunda que a Wells Fargo teria que usar todas as suas ações antes que os investidores pudessem lucrar com a geração de dividendos de longo prazo. Se ela sobrevivesse, porém, muito provavelmente sua ação iria muito além do valor, então deprimido, de 80 dólares, que refletia o temor dominante".

Ele continua: "Eu enxergava o risco/retorno daquela ação como uma situação binária: se a Wells Fargo quebrasse, a ação cairia 80 dólares; se não quebrasse, subiria o mesmo tanto. Mas se, em vez da ação, eu comprasse *securities* de antecipação de longo prazo com vencimento superior a dois anos, eu poderia transformar aquele risco/recompensa de 1:1 para 1:5. Se o banco sobrevivesse, a ação ia duplicar, e eu ganharia cinco vezes meu investimento em opções. Se o banco falisse, eu perderia apenas o custo das opções. Considerei que a probabilidade de sobrevivência do banco era muito maior que 50%, por isso a recomendação era de compra. Em termos de risco/recompensa, porém, as opções eram uma compra ainda melhor. A ação de fato acabou mais que dobrando antes do vencimento das opções."

CAPÍTULO 22

Quando o mercado livra a sua cara

UM COMENTÁRIO ISOLADO

Alguns conselhos específicos de trading, como a importância da gestão de risco e a necessidade de disciplina, embora absolutamente óbvios, foram citados por vários dos traders que entrevistei. De vez em quando, porém, um deles dava uma ideia que ninguém tinha mencionado antes. Tenho um apreço especial por esses comentários isolados.

Um exemplo perfeito é a frase de Marty Schwartz sobre os casos em que você está muito inquieto com a sua posição e o mercado deixa você sair facilmente. Segundo Schwartz, "se você já passou uma noite inteira, e sobretudo um fim de semana inteiro, nervoso com uma posição, e quando o mercado abre dá para sair por um preço muito melhor do que você imaginava, então geralmente é melhor ficar com a posição".

> Se você já passou uma noite inteira, e sobretudo um fim de semana inteiro, nervoso com uma posição, e quando o mercado abre dá para sair por um preço muito melhor do que você imaginava, então geralmente é melhor ficar com a posição.
>
> MARTY SCHWARTZ

DEU ERRADO

Uma ilustração do comentário de Schwartz aflorou em minha entrevista com Bill Lipschutz, que descreveu a primeira vez em que teve muito medo em sua carreira no trading. Na época, ele operava uma gigantesca carteira cambial proprietária para o Salomon Brothers. Era o outono de 1988, e Lipschutz esperava que o dólar caísse frente ao marco alemão. Ele conta que, como o mercado estava em um período de baixa volatilidade, sua posição era muito maior que o normal. Ele estava vendido em 3 bilhões de dólares contra o marco. Era uma sexta-feira à tarde, e Mikhail Gorbachev fez um discurso nas Nações Unidas anunciando que a União Soviética faria cortes na defesa. O mercado interpretou isso como um aumento da probabilidade de cortes nos gastos militares dos Estados Unidos, o que, por sua vez, ajudaria a reduzir o déficit. Reagindo a isso, o dólar imediatamente começou a subir.

Lipschutz tinha a expectativa total de que o mercado continuasse a andar na direção contrária à dele. Ele teria liquidado sua posição, se pudesse, mas como ela era muito grande, isso era impossível, por conta da baixa liquidez do mercado nova-iorquino em um final de tarde de sexta. Lipschutz conjecturou que sua única chance de sair daquela posição seria esperar a abertura de Tóquio (no domingo à noite, pelo fuso de Nova York), quando haveria uma liquidez muito maior. Nesse meio-tempo, sua estratégia foi tentar evitar que o dólar subisse ainda mais diante do marco, naquele reduzido mercado de sexta à tarde. Por isso, num esforço para fazer o dólar cair, Lipschutz vendeu mais 300 milhões. O mercado absorveu aquela ordem gigante como uma esponja. Não deu o menor sinal de vacilação. Lipschutz se deu conta de que estava lascado.

Ele foi até a sala do presidente da empresa e disse: "Temos um problema."

"Qual?", perguntou o presidente.

Lipschutz respondeu: "Estou vendido em dólar e avaliei mal minha liquidez no mercado. Tentei segurar o mercado, mas não vai dar certo. E não posso comprar de volta."

O presidente perguntou calmamente: "Qual a nossa situação?"

"Estamos perdendo algo entre 70 e 90 milhões de dólares", respondeu Lipschutz.

"Qual é o plano?", ele perguntou.

Lipschutz respondeu: "Quando Tóquio abrir, preciso ver em quanto vai estar. Minha intenção é cobrir metade da posição nessa hora e seguir daí."

Lipschutz passou o fim de semana suando frio. Quando Tóquio abriu, na noite de domingo, o dólar começou, na verdade, caindo. Era o mercado livrando a cara de Lipschutz. Ele, porém, deixou de lado o plano inicial de cobrir metade da posição na primeira parte da sessão de Tóquio. Resolveu, em vez disso, esperar. O dólar continuou caindo. Lipschutz acabou cobrindo a posição integralmente na sessão da Europa, com um prejuízo de 18 milhões, o que acabou dando a impressão de uma grande vitória, para quem esteve quase cinco vezes pior na tarde de sexta.

Perguntei a Lipschutz por que ele segurou a posição inteira, quando a maioria das pessoas na situação dele estaria tão louca para sair a um preço melhor que teria liquidado tudo na abertura de Tóquio. Lipschutz respondeu: "Seria a decisão de trading errada."

SCHWARTZ ME FAZ ECONOMIZAR

Eu tive uma experiência pessoal de trading em que o conselho de Schwartz foi protagonista. No início de julho de 2011, a Nasdaq teve uma alta abrupta, de um ponto relativamente baixo no meio de junho, aproximando-se do auge de um período prolongado. Na véspera da divulgação dos números do desemprego de julho, o mercado fechou no valor mais alto desde o início desse período de desvalorização, indicando expectativas otimistas quanto ao relatório do dia seguinte. Na hora em que o documento saiu, porém, apresentava expectativas extremamente pessimistas. Em geral, quando um relatório de desemprego é pessimista, os comentaristas do mercado sempre encontram algum dado ou fator atenuante. Aquele relatório, porém, era tão negativo que os analistas não conseguiram achar nenhuma informação positiva nele. O mercado estava vendendo fortemente, em resposta ao relatório, e continuou caindo nas horas seguintes. De repente, no início da tarde, os preços começaram a reagir, tendência que seguiu firme pelo restante da sessão. No fechamento, o mercado apagara 75% das perdas em relação ao ponto mais baixo do dia. Era uma sexta-feira e, portanto, o fechamento da semana também foi forte, com os preços terminando não muito longe do ápice dos anos recentes.

Na época, eu estava em busca de uma alta intermediária, e cheguei àquele dia numa posição extremamente vendida. A capacidade do mercado de ignorar notícias muito pessimistas, somada a um fechamento da semana próximo ao auge de vários anos, me pareceu uma variação de preços bastante otimista. Em qualquer análise objetiva daquela movimentação, eu teria que admitir para mim mesmo a grande probabilidade de estar do lado errado do mercado. Eu esperava que na noite de domingo o mercado abrisse em alta e eu acompanhasse outra curva ascendente. Depois da variação da sexta, me conformei em liquidar uma grande parte da minha posição, desde o domingo à noite e ao longo da segunda-feira. Na noite do domingo, porém, embora eu temesse o pior, em dez minutos o mercado caiu 15 pontos em relação ao fechamento de sexta. Recordando-me da frase de Schwartz, liquidei apenas simbólicos 10% da minha posição vendida. O mercado estava bem abaixo na abertura de segunda e continuou bem mais baixo depois. Seguir o conselho de Schwartz me fez economizar muito dinheiro.

Quando o mercado estiver livrando
sua cara, não pule fora.

Por que a regra de não sair quando o mercado livra facilmente a sua cara tende a funcionar na maioria das vezes? Porque – pense só nisso – quando você passa a noite, e sobretudo o fim de semana, muito preocupado com uma posição, é por conta de algum acontecimento dramático. Talvez tenha ocorrido algum fato inesperado, prejudicial à sua posição. Ou talvez o mercado tenha fechado na sexta-feira com uma valorização robusta, rumo a novos recordes, e você ainda está vendido. Qualquer que seja o fato ou desdobramento, dificilmente você será o único a ficar sabendo. Pelo contrário, todo mundo estará ciente. E caso o mercado, mesmo que os desdobramentos indiquem que irá andar fortemente no sentido contrário ao seu na reabertura, mal saia do lugar ou até caminhe na outra direção, isso significa que algumas mãos bem fortes estão posicionadas na mesma direção que você. Moral da história: quando o mercado estiver livrando sua cara, não pule fora.

CAPÍTULO 23

O amor pela missão

A terminologia usada pelos magos do mercado para se referir ao trading é bastante reveladora. Analise os seguintes exemplos:

- Bruce Kovner: "A análise de mercado é como um enorme tabuleiro de xadrez multidimensional. O prazer é puramente intelectual."
- Jim Rogers: "[Os mercados são] um enorme quebra-cabeça tridimensional. (...) Mas não um quebra-cabeça cujas peças você pode espalhar numa mesa enorme e encaixar de uma vez só. A imagem não para de mudar. Todo dia é preciso tirar algumas peças e colocar outras."
- David Ryan: "[O trading] é como uma gigantesca caça ao tesouro. Alguém aqui [*ele dá um tapinha em um enorme caderno de cotações*] vai ser um grande vencedor, e é isso que eu tento descobrir."
- Steve Clark: "Eu achei que estivesse jogando um videogame, e mal podia acreditar que ainda me pagavam para isso. Eu gostava tanto que faria de graça."
- Monroe Trout: "Eu poderia me aposentar hoje e viver com muito conforto, de renda, pelo resto da vida. O fato é que eu gosto do trade. Quando eu era criança, adorava jogar. Agora eu posso jogar um jogo muito divertido, e

ainda sou regiamente pago para isso. Posso dizer, com toda a franqueza, que não gostaria de estar fazendo nenhuma outra coisa. No minuto em que não sentir mais prazer, ou me achar incapaz de lucrar, eu paro."

O que há em comum entre todas essas frases? Todas contêm analogias com jogos. Isso quer dizer que, para os magos do mercado, o trading não é uma questão de trabalho ou de ficar rico. É algo que eles amam fazer – uma missão executada pela graça do desafio.

> O trading não é uma questão de trabalho ou de ficar rico. É algo que eles amam fazer – uma missão executada pela graça do desafio.

Quando entrevistei Bill Lipschutz, chamou minha atenção o quanto o trading estava presente em toda a sua vida. Uma manifestação física dessa integração total do trading em seu cotidiano era a presença de monitores de cotações em todas as salas, inclusive ao lado da cama, para ele poder, semiadormecido, dar uma última checada nos preços. Ele tinha até um monitor no banheiro, na altura dos olhos – uma confissão bem-humorada de sua obsessão pelos mercados, uma confirmação dela, ou as duas coisas.

Perguntei a Lipschutz: "Se o trading consome a maior parte do seu dia, sem falar da noite, ainda assim é divertido?"

"Tremendamente divertido!", respondeu ele. "É a coisa mais fascinante do mundo, porque cada dia é diferente (...) Eu trabalharia de graça. Tenho 36 anos, e é quase como se eu nunca tivesse trabalhado. Às vezes mal acredito que eu ganho tanto dinheiro fazendo uma coisa que é, essencialmente, jogar um jogo complicado."

Olha só, mais uma analogia com o jogo. Nas entrevistas com os magos do mercado, fica claro que a atração deles pelo trading tem a ver com a paixão pelo desafio de ganhar aquilo que, a seus olhos, é um jogo complexo. Operam porque amam o trading. Não operam para alcançar algum outro objetivo, como enriquecer, e isso faz toda a diferença.

Respondendo a minha pergunta sobre quem terá sucesso como trader, Colm O'Shea disse: "Francamente, se você não for apaixonado, existem coisas muito melhores para fazer na vida (...) Ninguém que faz trade pelo dinheiro se tornará bom. Se os traders de sucesso fossem motivados apenas pelo dinheiro, simplesmente parariam depois de cinco anos para desfrutar de coisas materiais. Não é o que fazem (...) Jack Nicklaus tinha um monte de dinheiro. Por que ele continuou a jogar golfe até bem depois dos 60 anos? Provavelmente porque ele gostava de verdade de jogar golfe."

Estou certo de que, se você analisar as pessoas bem-sucedidas que conhece, qualquer que seja a profissão, descobrirá que aquilo que elas têm em comum é o amor pelo que fazem. Isso vale para o trading. É verdade para qualquer busca. O amor pelo trading pode não ser garantia de sucesso, mas a falta dele provavelmente levará ao fracasso.

APÊNDICE

Opções – Um guia básico[1]

Existem dois tipos básicos de opções: *calls* e *puts*. A compra de uma opção *call* confere ao titular o direito – mas não a obrigação – de adquirir aquele ativo a um preço predeterminado, chamado de *strike* ou *preço de exercício*, a qualquer momento até a data de vencimento. Uma opção *put* dá ao titular o direito – mas não a obrigação – de venda daquele ativo ao preço *strike* em qualquer momento anterior ao vencimento (observe, portanto, que a compra *put* é um trade pessimista, ou uma aposta na queda dos preços, enquanto a venda *put* é um trade otimista, ou uma aposta na alta do mercado). Ao preço de uma opção se dá o nome de *prêmio*. Um exemplo de opção: uma *call* IBM Abril 2010 confere ao titular o direito de comprar 100 ações da IBM a 210 dólares por ação, a qualquer momento do tempo de vida da opção.

Quem compra uma *call* está tentando lucrar com a previsão de aumento de preço, ao garantir um valor de compra. Assim como o comprador de *call*, o prejuízo máximo possível para o comprador de *put* fica limitado ao valor, em dinheiro, do prêmio pago pela opção. Caso uma *put* seja detida até vencer, o trade terá lucro líquido se o *strike* ficar acima do preço de mercado por uma soma superior ao prêmio da opção *put* no momento da compra (descontado o custo das comissões).

Enquanto o comprador, *call* ou *put*, limita seu risco e tem um potencial de ganho ilimitado, o contrário vale para o vendedor. O vendedor da opção (muitas vezes chamado de lançador) recebe o valor em dinheiro do prêmio, em troca da obrigação de assumir a posição oposta ao preço do *strike* caso a opção seja exercida. Por exemplo, ao exercer uma opção, o vendedor precisa assumir uma posição vendida no respectivo mercado, ao preço *strike* (já que, ao exercer a *call*, o comprador assume uma posição comprada àquele preço).

O vendedor da *call* está tentando lucrar com a previsão de um mercado estável ou em ligeira queda. Nesse tipo de situação, o prêmio recebido pela venda da *call* representa a oportunidade de trading mais atraente. No entanto, um trader que esteja esperando uma queda mais forte dos preços agirá melhor se ficar vendido naquele mercado ou se comprar uma *put* – trades com potencial de lucro em aberto. Da mesma forma, o vendedor de uma *put* está tentando lucrar com a previsão de um mercado estável ou em ligeira alta.

Alguns novatos têm dificuldade em entender por que os traders não iriam preferir sempre o lado do comprador de opções (*call* ou *put*, conforme a avaliação sobre o mercado), já que é um trade com potencial ilimitado e risco limitado. Essa confusão é fruto de uma incapacidade de levar em conta as probabilidades. Embora o risco teórico do vendedor da opção seja ilimitado, os níveis de preços com maior probabilidade de ocorrência (isto é, os preços nas adjacências do preço de mercado, no momento da negociação da opção) resultariam em um ganho líquido para o vendedor. *Grosso modo*, o comprador da opção aceita uma probabilidade grande de um pequeno prejuízo (o custo do prêmio) em troca de uma pequena chance de um grande lucro, enquanto o vendedor da opção aceita uma pequena probabilidade de um grande prejuízo em troca de uma grande perspectiva de um pequeno ganho (a receita do prêmio).

O prêmio da opção é formado por dois componentes: o valor intrínseco mais o valor temporal. O valor intrínseco de uma opção *call* é a quantia pela qual o preço corrente de mercado excede o preço *strike* (o valor intrínseco de uma opção *put* é a quantia pela qual o preço de mercado corrente fica abaixo do preço *strike*). Na prática, o valor intrínseco é aquela parte do prêmio que seria realizada caso a opção fosse exercida pelo preço corrente de mercado. O valor intrínseco serve como um "piso" para o preço da opção. Por quê? Porque se o prêmio fosse inferior ao valor intrínseco, o trader poderia comprar e exercer a opção, compensando imediatamente a posição de mercado resultante, e desta forma realizando um ganho líquido (supondo que o trader cubra pelo menos os custos de transação).

As opções que possuem valor intrínseco (isto é, *calls* cujo preço *strike* está abaixo do preço de mercado, e *puts* cujo preço *strike* está acima do preço de mercado) são chamadas *"dentro do dinheiro"*. Opções que não têm valor intrínseco são chamadas *"fora do dinheiro"*. Aquelas cujo preço *strike* fica bem próximo do valor de mercado são chamadas de opções *"no dinheiro"*.

Uma opção "fora do dinheiro", que por definição tem um valor intrínseco igual a zero, ainda assim tem algum valor, devido à possibilidade de que o preço de mercado suba além do preço *strike* anterior à data de vencimento. Uma opção "dentro do dinheiro" terá um valor maior que o intrínseco porque, caso seja precificada por esse valor intrínseco, uma posição nessa opção sempre será preferível a uma posição no mercado propriamente dito. Por quê? Porque tanto a opção quanto a posição de mercado teriam o mesmo ganho em caso de uma variação de preços favorável, mas o prejuízo máximo da opção seria limitado. A parte do prêmio que excede o valor intrínseco é chamada de valor temporal.

Os três fatores mais importantes que influenciam o valor temporal de uma opção são:

1. *A relação entre o preço* strike *e o preço de mercado.* Opções fortemente "fora do dinheiro" terão pouco valor temporal, já que é improvável que o preço de mercado atinja – ou supere – o preço *strike* antes do vencimento. Opções fortemente "dentro do dinheiro" têm pouco valor temporal, já que essas opções oferecem posições muito semelhantes ao mercado propriamente dito – ambas ganharão e perderão quantias equivalentes, a não ser em caso de uma variação de preço extremamente adversa. Em outras palavras, no caso de uma opção fortemente "dentro do dinheiro", o fato de o risco ser limitado não é de grande valor, porque o preço *strike* está longe do preço de mercado vigente.

2. *O tempo que falta para o vencimento.* Quanto mais tempo resta até o vencimento, maior o valor da opção. Isso acontece porque um tempo de vida mais longo aumenta a probabilidade de um aumento do valor intrínseco, por uma quantia qualquer, antes do vencimento.

3. *A volatilidade.* A variação do valor temporal dependerá diretamente da volatilidade estimada (uma medida do grau de variabilidade do preço) do mercado propriamente dito durante o restante do tempo de vida da opção. Essa relação ocorre porque uma volatilidade maior

eleva a probabilidade de aumento do valor intrínseco, por uma quantia qualquer, antes do vencimento. Em outras palavras, quanto maior a volatilidade, maior a faixa de preço provável do mercado.

Embora a volatilidade seja um conceito extremamente importante para determinar o valor do prêmio das opções, deve-se ressaltar que não há como saber a volatilidade futura de um mercado a não ser *a posteriori* (em compensação, o tempo que falta para o vencimento e a relação entre o preço corrente do mercado e o preço *strike* pode ser especificada com precisão a qualquer momento). Assim, é preciso sempre estimar a volatilidade em função dos dados históricos. A estimativa da volatilidade futura, sugerida pelos preços de mercado (ou seja, o prêmio das opções), e que pode ser maior ou menor que a volatilidade histórica, é chamada de "volatilidade implícita".

Na média, existe uma tendência de que a volatilidade implícita das opções seja mais alta do que a volatilidade subsequente realizada do mercado até o vencimento das opções. Em outras palavras, há uma tendência de sobrepreço das opções. O prêmio extra é necessário para forçar o vendedor de opções a assumir um risco em aberto e propiciar uma garantia de preço ao comprador. Essa situação é inteiramente análoga ao prêmio de um seguro residencial, precificado em um nível que garante uma margem de lucro para a seguradora. Do contrário, ela não teria incentivo para assumir o risco em aberto.

NOTAS

CAPÍTULO 1

1. www.baseball-almanac.com/feats/feats23.shtml.
2. Em muitos mercados de futuros, a variação máxima do preço diário está sujeita a um limite predeterminado. Limite inferior é o nome que se dá à queda dessa dimensão, e limite superior se refere à alta equivalente. Quando, como neste caso, o preço de equilíbrio que resultaria da interação das forças livres do mercado fica abaixo do limite inferior, o mercado é paralisado – isto é, a negociação é virtualmente interrompida. O motivo: haverá uma abundância de vendedores, mas virtualmente ninguém disposto a comprar pelo preço travado no limite inferior.

CAPÍTULO 4

1. A pergunta pressupõe que você vai jogar na roleta, excluindo uma estratégia ainda melhor, que é não apostar nada.

CAPÍTULO 5

1. Há certa controvérsia em relação à causa da morte de Bender. As autoridades costa-riquenhas indiciaram a esposa por homicídio. Por conhecer sua esposa e tendo discutido o caso com um amigo íntimo de Bender bem informado sobre o caso, tendo a acreditar na versão do suicídio.

CAPÍTULO 8

1. O leitor com pouco conhecimento sobre opções pode pular esta parte, ou ler primeiro o Apêndice antes de retornar.
2. Dados de performance obtidos em www.barclayhedge.com.
3. Inúmeros ex-funcionários da SAC Capital ou confessaram a culpa ou foram condenados por *insider trading*. A firma, propriamente dita, declarou-se culpada da acusação de *insider trading*, pagando um total de US$ 1,8 bilhão de multa. Steve Cohen foi processado por não ter supervisionado os subordinados, mas não por participação direta no *insider trading*. No entanto, as condenações supracitadas e o fato de que Cohen incentivava constantemente seus gestores a compartilhar ideias de trading levou à polêmica se, ou até que ponto, os trades de Cohen tiraram partido de *insider information*. Até onde posso julgar, se cortássemos pela metade os retornos de Cohen, ainda seria um histórico excepcional. Qualquer que seja a influência do *insider trading* nos resultados de Cohen (se é que houve), certamente foi um total bem menor que esse; do contrário, certamente haveria evidências mais que suficientes para que o próprio Cohen fosse indiciado. Portanto, de um ponto de vista puramente estatístico,

ainda acho indubitável que Cohen é um trader altamente talentoso. Faço estes comentários apenas para explicar por que considero Cohen um grande trader, independentemente das suposições que possam ser feitas em relação à influência do *insider trading*, e de forma alguma com a intenção de insinuar sua participação direta em *insider trading* – não pretendo especular sobre este assunto – ou de corroborar qualquer ato dele.

CAPÍTULO 9

1. Muitos mercados de futuros impõem limites à variação máxima de preço permitida em um único dia. Quando um acontecimento provoca um grande desequilíbrio entre compradores e vendedores, como foi o caso após o anúncio do Plano Carter, os futuros variam até o preço-limite sem que ocorra virtualmente nenhuma negociação. Os futuros continuarão a passar por preços-limite durante dias a fio até o mercado por fim atingir um nível onde ocorra um equilíbrio suficiente para que volte a operar livremente – neste caso específico, até que o preço caia o bastante para que os compradores entrem no mercado.

CAPÍTULO 12

1. Alguns trechos deste capítulo foram adaptados de SCHWAGER, Jack D. *Market Wizards*, nova edição. Hoboken, Nova Jersey: John Wiley & Sons, 2012.

CAPÍTULO 15

1. Essa estratégia foi rebatizada como Omni Global Fund em fevereiro de 2007. Antes disso, a estratégia era chamada de Hartford Growth Fund e não era aberta a investidores externos.

CAPÍTULO 16

1. KAHNEMAN, Daniel; TVERSKY, Amos. "Prospect Theory: An Analysis of Decision under Risk". *Econometrics*, v. 47, n. 2, mar. 1979, pp. 263-91. A teoria prospectiva, ou teoria dos prospectos, é um ramo da teoria decisional que tenta explicar por que os indivíduos tomam decisões que se afastam da tomada de decisões racional, examinando como são percebidos os desfechos esperados das opções alternativas (fonte desta definição: www.qfinance.com).
2. Este parágrafo foi adaptado de SCHWAGER, Jack D. *Market Sense and Nonsense*. Hoboken, Nova Jersey: John Wiley & Sons, 2012.

CAPÍTULO 17

1. Os preços das letras do Tesouro se movimentam inversamente às taxas de juros das letras do Tesouro.

APÊNDICE

1. Este apêndice foi publicado originalmente em *Market Wizards* (1989).

SOBRE O AUTOR

Jack D. Schwager é um renomado especialista no setor de futuros e hedge funds, autor de diversos livros sobre finanças unanimamente aclamados. É um dos fundadores da FundSeeder (Fundseeder.com), plataforma projetada para identificar talentos do trading no mundo inteiro e conectar traders bem-sucedidos com fontes de capital para investir.

Anteriormente, foi um dos sócios do Fortune Group, uma consultoria de hedge funds com sede em Londres. Sua experiência prévia também inclui 22 anos como diretor de pesquisa de futuros para algumas das maiores firmas de Wall Street, mais recentemente a Prudential Securities.

De todos os seus livros, os mais conhecidos talvez sejam os da série de best-sellers *Os magos do mercado financeiro*, em que entrevista os maiores gestores de hedge funds das últimas três décadas: *Market wizards* (Os magos do mercado financeiro, 1989), *The new market wizards* (Os novos magos do mercado financeiro, 1992), *Stock market wizards* (Os magos da bolsa de valores, 2001), *Hedge funds market wizards* (Os magos do mercado de hedge funds, 2012) e *Unknown market wizards* (Os magos desconhecidos do mercado, 2020). Também é autor de *Market sense and nonsense* (O sentido e as bobagens do mercado, 2012), um compêndio de falsas ideias sobre investimentos.

O primeiro livro de Schwager, *A complete guide to the futures market* (Um guia completo para o mercado de futuros), de 1984, é considerado uma obra de referência na área. Posteriormente, ele a revisou e ampliou, transformando-a numa série de três volumes, *Schwager on Futures* (Schwager sobre futuros), composta por *Fundamental analysis* (Análise fundamentalista, 1995), *Technical analysis* (Análise técnica, de 1996) e *Managed trading* (Trading gerenciado, de 1996). Também é o autor de *Getting started in technical analysis* (Iniciação à análise técnica, 1999), parte da popular série *Getting Started* (Iniciação), da editora John Wiley.

Em 2015, fez uma parceria com a Tradeshark para lançar um conjunto de indicadores de tendências de mercado.

Schwager é palestrante e ministra seminários sobre temas como as características dos grandes traders, falácias dos investimentos, portfólios de hedge funds, contas gerenciadas, análise técnica e avaliação de sistemas de trading.

É formado em Economia pela Brooklyn College (1970), com mestrado em Economia pela Universidade Brown (1971). Mais informações em www.jackschwager.com.

CONHEÇA OUTRO TÍTULO DA EDITORA SEXTANTE

O investidor de bom senso
John C. Bogle

Esse livro é o guia clássico para você atuar de forma inteligente no mercado financeiro. Fundador da gestora americana Vanguard, John C. Bogle revela neste livro a chave para ter o melhor desempenho, descrevendo o que considera a estratégia mais simples e eficiente: os fundos de índice.

Este livro mudará totalmente a forma como você pensa os investimentos, trazendo ensinamentos profundos e conselhos práticos. Aqui você vai aprender:

- Como construir uma carteira diversificada, de baixo custo e sem os riscos de ações individuais, da seleção do administrador e da rotatividade de setores.
- Como aproveitar a magia dos retornos enquanto evita a tirania dos custos.
- O que investidores experientes e acadêmicos brilhantes – como Warren Buffett, Benjamin Graham, Paul Samuelson e Burton Malkiel – têm a dizer sobre investimentos.

Seguindo as lições de Bogle, você fará com que o mercado trabalhe a seu favor, projetando um futuro bem-sucedido.

Para saber mais sobre os títulos e autores da Editora Sextante,
visite o nosso site e siga as nossas redes sociais.
Além de informações sobre os próximos lançamentos,
você terá acesso a conteúdos exclusivos
e poderá participar de promoções e sorteios.

sextante.com.br